中京大学文化科学叢書 22

大学教育と博物館

中京大学先端共同研究機構文化科学研究所
博物館研究プロジェクト［編］

目　次

まえがき

文化科学研究所博物館研究グループの立ち上げは、2013年であった。2015年に現代社会学部が4専攻制になり、国際文化専攻の教育課程で、博物館教育を一層重視するという決定が契機となった。初期のメンバーは、国際文化専攻の3教員（亀井、岡部、斉藤）と国際文化専攻で「博物館と英語」を担当することになった国際教養学部（当時）の栂の4人である。本書のタイトル「大学教育と博物館」のとおり、当初から、教育と博物館研究が結びついていたのである。

メンバーは、近隣の愛知大学、中部大学、南山大学、椙山女学園大学はもとより、東京大学や広島大学へも、大学博物館の研究のために赴いた。海外では、マレーシア、台湾、フィンランドとスウェーデンへ大学博物館を含む博物館を見学し、2017年以降は、「海外博物館研修」履修者を引率して、南アフリカ、タイ、イタリアへ行った。

なお、同グループは、学内規程の改正に伴い2018年に博物館研究プロジェクトとして再編された。

本書をとおして、博物館研究プロジェクトの活発な研究活動と、博物館研究の楽しさをお伝えしたい。

2021年1月31日
博物館研究プロジェクト代表
斉藤尚文

第１章

中京大学現代社会学部における学芸員課程の展開

斉藤尚文

通時と共時

『蜜蜂と遠雷』から始めよう。冒頭部分におかれたミステリ作家である猪飼真弓とピアニストの嵯峨美枝子との会話である。

> 彼女は会うたび文芸業界とクラシックピアノの世界は似ている、と言うのである。
>
> ホラ、似てるじゃない、コンクールの乱立と新人賞の乱立。同じ人が箔を付けるためにあちこちのコンクールや新人賞に応募するのも同じ。どちらも食べていけるのはほんの一握り。自分の本を読ませたい人、自分の演奏を聴かせたい人はうじゃうじゃいるのに、どちらも斜陽産業で、読む人聴く人の数はジリ貧。
>
> (中略)
>
> ひたすらキーを叩くところも似てるし、一見優雅なところも似てる。人は華やかなステージの完成形しか目にしていないけれど、そのために普段はほとんどの時間、地味にこもって何時間も練習したり原稿書いたりしてる。
>
> (中略)
>
> コストが違うわよ、と美枝子は言い返したものだ。

小説は元手が掛からないからいいけど、あたしたちはどれだけ投資してると思うの。
(中略)
楽器代、楽譜代、レッスン代、発表会の費用でしょ、お花でしょ、衣装でしょ。留学費用に交通費。
(中略)
でも、ひとつだけ、あたしたちには絶対にかなわないことがあるじゃない。
真弓はちょっとだけ羨ましそうな顔をした。
世界中、どこに行っても、音楽は通じる。言葉の壁がない。感動を共有することができる。あたしたちは言葉の壁があるから、ミュージシャンは本当に羨ましい。 ［恩田 2019: 22–25］

共時的な記述の主要な手法である比較（「類似」と「差異」）が駆使された記述である。小説だから厳密さに欠けるが、その分読み手の演繹的思考を刺激する。例えば、文化人類学者が似ているところと違うところは？

さて、わたしが文化人類学の修業をしたのは、「共時」の時代であり、「通時」は敵だった。1988年に中京大学に赴任した後でさえ、「歴史に興味があります」とか、「○○の起源を調べたいです」なんて学生が来ると、「他のゼミへ行って！」と言いたくなるのをがまんするのがたいへんだった。「共時」と「通時」は、対概念ではあっても、共存するということをわたしが理解したのは、「民族誌的現在」が問われて以降かもしれない。

博物館にとっては、「通時」と「共時」の双方は最初から欠くことができないものであった。なにしろ博物館の原型とみなされている「驚異の部屋」を生み出したルドルフ二世は、時間や空間を超えて珍しいものを収集したのだから。

それが驚異を生み出すのは、一つには、あらゆる珍奇な物品が独特の秩序感に従って並列的に集められ陳列されているからだが、それだけではなく、それらの物量が一定の限られた空間の中だけに内蔵されていて外

から見ただけでは気がつかないためでもある。［竹中 2020: 48–49］

「独特な秩序感」は、時代・収蔵されるもの・展示を生み出す人等によって異なる。が、内側に入って、見た人のみが得ることのできる快感は、きっと「驚異の部屋」の時代から、今日に至るまで、変わらないだろう。

恩田が記した「書く人」と「演奏する人」との共時的な対比は、この小説の成立の過程を通時的に記した文庫本版の「解説」で、見事に裏切られることになる。が、これについては、本稿の最後に記すことにしよう。

学芸員課程科目担当者と学芸員資格取得学生数

本稿に与えられた使命は、1986年に中京大学社会学部が設立されて以降の「学芸員課程」について語ることである。が、まず言い訳から始めなければならない。

1970年代の終わり、大学院博士課程に在籍していたわたしは、留学あるいは海外でのフィールドワークをする必要に迫られていた。幸い、アメリカ合衆国で学ぶための奨学金の補欠候補となることができたので、いくつかの大学院にアプライし、入学許可を得た［中尾・斉藤 2018: 67］。そのうちのひとつの大学院から、入学に際して、誓約書の提出を求められた。

博士号を取得しても、博物館学芸員になることがあるかもしれない。これを認める。

といった誓約書であった。つまり、「文化人類学の博士号を取得した後、文化人類学の研究職ではなく、博物館学芸員になるかもしれないけれど、いいですね」ということだ。レヴィ＝ストロースや、リーチや、ニーダムがもてはやされていた時代には、モノを扱うことは、文化人類学の研究の中では、充分な敬意を払われていなかったのだ。

そのような時代を生きてきて、1988年に中京大学社会学部講師となったわたしにとって、学芸員課程を担当するよう指示されたのは、うれしいことではなかった。研究室の向かいに立派な「文化人類学資料標本室」（現在は、

「社会福祉実習室」）が用意されていることに、とまどった。ちょうど、国立民族学博物館が開館する時期でもあり、モノへの関心はそれなりにあったが、モノの収集・整理・展示といった営みに興味はなかったのだ。

以下、1986年の社会学部開設（2007年に現代社会学部に改組）以来の学芸員課程の歴史を記録する。1988年に中京大学に赴任してから2013年に亀井が着任するまで、学芸員課程の担当教員であったわたしが書くべきものではあるが、上記のような理由で、積極的に学芸員課程に関わってきたわけではないことを、お詫びしておかなくてはならない。

まず、学芸員課程科目とその担当者の一覧を示す。参照したのは、設立以来のすべての「時間割表」「履修の手引き」「学生便覧」などである。カリキュラム変更等で、開設科目とその担当者がわかりにくい部分に関しては、亀井にたずねた。

社会学部開設以降、日本の大学自体が大きく変貌した。例えば、当初は、１年と２年で教養科目を学び、専門科目は３年以降、という仕組みが残っていた。土曜日の午前中と平日の５限に授業があった。その後、１年次にも専門科目がおかれるなど、複雑さを増す時間割表を少しでも見やすくするために、教務課はさまざまな工夫を凝らしてきた。時間割等を見比べながら、大学や学生や大学教員や大学での教育の変遷に思いを巡らす時間を楽しむことができた。時間割というものそれ自体に踏み込むことは避けるが、学芸員課程の科目が、曜日ごと時限ごとの時間割表の中に組み込まれたり、学芸員課程科目一覧表が時間割本体とは別に設けられたりしたということは、書き残しておきたい。

現代社会学部は、劇的と言ってよいほどの歴史を刻んできた。幸い、学部設立30周年を記念して、カリキュラムの変遷を含む現代社会学部の歴史が記されているので、参照されたい［大友 2018］［加藤 2018］［斉藤 2018］。この３本のうち、「社会学部・現代社会学部できごと年表」を作成した大友は、1985年のところに「コラム」として、

> 新学部開設の１年前から３名の社会学部着任予定の教員が採用され、教養部に所属し、カリキュラムの考案、学芸員などの資格課程設置のため

の実習先開拓、愛知県下の高等学校に学生募集の依頼、また入試体制とその実施について大学事務担当者や教養部教員とともに考案し、推進した。［大友 2018: 231］

と記した。わたしが赴任する前の学芸員課程について知ることができるのは、これだけである。この他、学芸員課程に関連する事項としては、

2016年11月　亀井哲也ゼミ等、スポーツ科学部、工学部と協力して「中京大学スポーツ・ミュージアム第２回プレ・オープン展示」を豊田図書館１階で開催。［大友 2018: 235］

と記されている。中京大学スポーツミュージアムのプレオープン展示については、まとめて記録しておきたいので、亀井からデータをもらい、以下に記す。

回数（「タイトル」）
開催期間
会場
来場者数

第１回
2016年６月９日
名古屋キャンパス図書館・学術棟１階　エントランスホール
500名

第２回「スポーツがつなぐ世界Ⅰ　学びと支援が高める共感」
2016年11月４日から６日
豊田キャンパス図書館　ラーニング・スクエア
461名

第３回「スポーツがつなぐ世界Ⅱ　1964年の記憶」
2017年10月23日から11月５日
豊田キャンパス９号館２階　大会議室

1006名

第4回「スポーツがつなぐ世界Ⅲ　手のひらに届いたオリンピック」
2018年7月13日から19日
名古屋キャンパス4号館　アートギャラリーC・スクエア
1613名

第5回「スポーツがつなぐ世界Ⅴ　燦きの先に――氷雪に挑む」
2018年10月22日から11月4日
豊田キャンパス9号館2階　大会議室
555名

プレオープン展示は2016年6月以降5回開催され、総計4135人の来場者を得た。2019年に中京大学スポーツミュージアムが開館するまでに、長く入念な準備期間があったのである。

実は、大学院時代の師であり、都立大助手時代の上司でもある石川栄吉が、わたしとともに1988年に赴任した当初、体育学部教員から「博物館をつくりたいので協力してもらえないか」という依頼があったと、後日、石川から聞いた。「博物館は陳列すれば終わり、というものではなく、日々情報を収集し、発信するものでなければならない。博物館設立は容易ではない」とお返事したとのことであった。国立民族学博物館の創設にかかわった石川にとっては、当然の応答だったろう。

それ以来、中京大学体育学部（現在はスポーツ科学部）が所蔵する貴重な品々のことは、忘れていた。もっとも、2013年に中京大学現代社会学部に亀井が赴任した時、「スポーツ科学部の収蔵品をよろしく」というようなことを、話したらしい。さっそくとりかかってくれたと記憶している。実はわたしも当初は、博物館の専門家である亀井と一緒にスポーツ科学部の収蔵品を整理するのを楽しんだ。当時は、中京大学の歴史にも関心を抱いていたからだ。亀井の手伝いは、おもしろい発見をたくさんもたらしてくれた。例えば、手袋。収蔵品を触る時は、白い手袋をはめていないと亀井に叱られる。実際になんども叱られた。（でも、古文書を扱う人たちは素手なんだよね。）

それから、中性紙。収蔵品を整理して収納するのには、中性紙の箱を使う。(収蔵品はだいじにしなくちゃね。でも、当時の歌謡曲を録音したカセットテープなんかまで、なんでだいじにしなくちゃいけないのかなぁ。) とても楽しかったのだが、ものを扱う忍耐がわたしには欠けていて、早々に離脱した。

中京大学社会学部設立以来の学芸員課程科目担当者の一覧表を次ページに示す。

表は、

第１期「1952年に制定された博物館法施行規則にもとづく科目がおかれた時期」(1988年から1996年)

第２期「1997年に一部改訂された博物館施行規則にもとづく科目がおかれた時期」(1997年から2012年)

第３期「2009年に一部改訂され、2012年に施行された博物館法施行規則にもとづく科目がおかれた時期」(2013年から2019年。ただし、第２期から第３期の移行期であり、入学年度によって科目名が異なる部分がある2013年度と2014年度については、担当者が２名いる科目がある。)

に分かれている。

科目名は、それぞれの時期で、博物館施行規則に記されたものである。亀井（本書 p. 151）に従って、３期の科目の対応がわかるようにした。網掛けをした空欄は、該当年度にはなかった科目である。

担当者名は、「学芸員課程」の科目として設けられたものに限って記してある。従って、教職課程等に設けられた「社会教育論」(1997年以降は「生涯学習概論」) については、一切担当者名を記さなかった。また、「視聴覚教育」も担当者名を記さなかった。1996年度にこの科目に該当する「教育工学」が学芸員課程の科目とされたが、これも担当者名を記していない。(第２期の「視聴覚教育メディア論」に相当する「メディア論特講２」も一時期、学芸員課程の科目であった。) 第２期では、「博物館資料論」が「博物館各論Ⅰ」として、「博物館経営論」と「博物館情報論」が「博物館各論Ⅱ」として開講された。

表1　学芸員課程担当者一覧

1952年に制定された博物館法施行規則にもとづく科目がおかれた時期

1952	1997	2009	1988	1989	1990	1991	1992	1993
社会教育概論 (1)	生涯学習概論 (1)	生涯学習概論 (2)						
博物館学 (4)	博物館概論 (2)	博物館概論 (2)	高橋　貴	高橋　貴	渡辺道斉	渡辺道斉	渡辺道斉	高橋　貴
	博物館資料論 (2)	博物館資料論 (2)						
	博物館経営論 (1)	博物館経営論 (2)						
		博物館資料保存論 (2)						
		博物館展示論 (2)						
	博物館情報論 (1)	博物館情報・メディア論 (2)						
視聴覚教育 (1)	視聴覚教育メディア論 (1)							
教育原理 (1)	教育学概論 (1)	博物館教育論 (2)						
博物館実習 (3)	博物館実習 (3)	博物館実習 (3)		斉藤・石川	斉藤・渡辺	斉藤・渡辺	斉藤・渡辺	高橋　貴

1997年に一部改訂された博物館法施行規則にもとづく科目がおかれた時期

1952	1997	2009	1997	1998	1999	2000	2001	2002
社会教育概論 (1)	生涯学習概論 (1)	生涯学習概論 (2)						
博物館学 (4)	博物館概論 (2)	博物館概論 (2)	高橋　貴	渡辺道斉	渡辺道斉	高山　敦	高山　敦	高山　敦
	博物館資料論 (2)	博物館資料論 (2)	亀井哲也	亀井哲也	亀井哲也	亀井哲也	亀井哲也	亀井哲也
	博物館経営論 (1)	博物館経営論 (2)	亀井哲也	亀井哲也	亀井哲也	亀井哲也	亀井哲也	亀井哲也
		博物館資料保存論 (2)						
		博物館展示論 (2)						
	博物館情報論 (1)	博物館情報・メディア論 (2)	亀井哲也	亀井哲也	亀井哲也	亀井哲也	亀井哲也	亀井哲也
視聴覚教育 (1)	視聴覚教育メディア論 (1)							
教育原理 (1)	教育学概論 (1)	博物館教育論 (2)						
博物館実習 (3)	博物館実習 (3)	博物館実習 (3)	渡辺道斉	渡辺道斉	渡辺道斉	渡辺道斉	渡辺道斉	亀井哲也

2009年に一部改訂され、2012年に施行された博物館法施行規則にもとづく科目がおかれた時期

1952	1997	2009	2013	2014	2015	2016	2017	2018
社会教育概論 (1)	生涯学習概論 (1)	生涯学習概論 (2)						
博物館学 (4)	博物館概論 (2)	博物館概論 (2)	日比野光敏	日比野・亀井	亀井哲也	亀井哲也	亀井哲也	亀井哲也
	博物館資料論 (2)	博物館資料論 (2)	日比野・亀井	日比野光敏	日比野光敏	日比野光敏	日比野光敏	日比野光敏
	博物館経営論 (1)	博物館経営論 (2)	亀井哲也	亀井哲也	亀井哲也	亀井哲也	亀井哲也	亀井哲也
		博物館資料保存論 (2)			渡辺道斉	渡辺道斉	渡辺道斉	渡辺道斉
		博物館展示論 (2)		亀井哲也	日比野光敏	日比野光敏	日比野光敏	日比野光敏
	博物館情報論 (1)	博物館情報・メディア論 (2)	亀井哲也	宮里孝生	宮里孝生	宮里孝生	宮里孝生	宮里孝生
視聴覚教育 (1)	視聴覚教育メディア論 (1)							
教育原理 (1)	教育学概論 (1)	博物館教育論 (2)		宮里孝生	宮里孝生	宮里孝生	宮里孝生	宮里孝生
博物館実習 (3)	博物館実習 (3)	博物館実習 (3)	亀井哲也	亀井哲也	亀井哲也	亀井哲也	亀井哲也	和田和也

1994	1994	1995	1996
高橋　貴	高橋　貴	高橋　貴	高橋　貴
高橋　貴	高橋　貴	高橋　貴	高橋　貴

2003	2003	2004	2005	2006	2007	2008	2009	2010	2011	2012
日比野光敏	日比野光敏	日比野光敏	日比野光敏	日比野光敏	日比野光敏	日比野光敏	日比野光敏	日比野光敏	日比野光敏	日比野光敏
亀井哲也	亀井哲也	亀井哲也	亀井哲也	亀井哲也	亀井哲也	亀井哲也	亀井哲也	亀井哲也	亀井哲也	亀井哲也
亀井哲也	亀井哲也	亀井哲也	亀井哲也	亀井哲也	亀井哲也	亀井哲也	亀井哲也	亀井哲也	亀井哲也	亀井哲也
亀井哲也	亀井哲也	亀井哲也	亀井哲也	亀井哲也	亀井哲也	亀井哲也	亀井哲也	亀井哲也	亀井哲也	亀井哲也
亀井哲也	亀井哲也	亀井哲也	亀井哲也	亀井哲也	亀井哲也	亀井哲也	亀井哲也	亀井哲也	亀井哲也	亀井哲也

2019
亀井哲也
日比野光敏
亀井哲也
渡辺道斉
日比野光敏
宮里孝生
宮里孝生
和田和也

学芸員課程科目をご担当いただいた方は少なくないが、長年ご担当くださった方は限られている。高橋、亀井、渡辺は、文化人類学者で、かつリトルワールドの学芸研究員であった。(最初のころは、同じくリトルワールド学芸研究員だった栗田和明が、学芸員課程選択科目を担当した。) 2014年度以降お世話になっている宮里も文化人類学者で、リトルワールドの学芸員である。学芸員課程はあくまで、文化人類学教育の一環だったのである。表には記していないが、学芸員課程の選択科目として指定したのも、文化人類学系の科目である。日比野のみが例外で、人文地理学者である。ただ、岐阜市歴史博物館の学芸員から大学教員になったので、実務経験も豊かだという点では、他の方々と同じである。ちなみにリトルワールドでの資料整理のアルバイトも経験したそうである。

博物館実習の初年度の担当者として「斉藤・石川」と記されている。が、わたしは実習を担当した記憶がない。おそらく、次年度からの担当者である渡辺に丸投げしたのだろう。実習機関であるリトルワールドに行って、実習を見学した記憶はある。

他にこの表に関して記すべきことは、2007年に現代社会学部に改組され、2015年に4専攻制がスタートしたことである。4専攻のうち、文化人類学を担うのは、「国際文化専攻」である。そして、国際文化専攻1年次の必修科目は、「文化人類学入門」「文化人類学方法論」「博物館概論」である。文化人類学系の科目としての位置づけは変わらないが、学芸員課程を一層重視するようになったのである。さらに、「国際文化専攻」では、博物館実習を除くすべての学芸員課程科目を卒業所要単位としてカウントすることとし、学芸員資格の取得を促している。学芸員課程は、現代社会学部が設置するが、中京大学の(工学部を除く)他学部の学生も履修することができる。

図1は、学芸員資格取得者の数を資格取得年度ごとに、社会学部・現代社会学部と中京大学全体とに分けて示したものである。1995年に履修者数のピークがあった理由は、わからない。ただ、博物館実習の履修者が増えて、実習を担当するリトルワールドの方々に申し訳がない、と思ったことは、かすかに記憶に残っている。

2017年以降、現代社会学部と全学との間に差が開くのは、2015年に文学

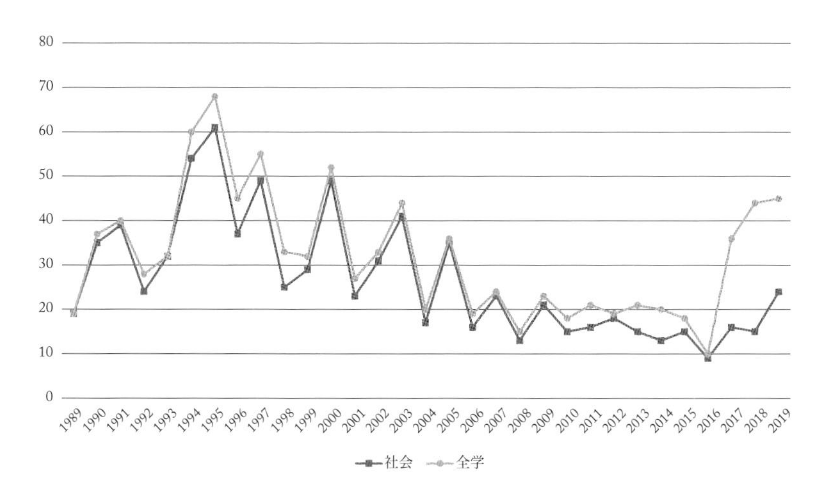

図１　「学芸員課程」有資格者数

部が新設した歴史文化学科が学芸員課程を設置し、名古屋キャンパスの学生たちにも履修しやすくなったからである。2019年には、現代社会学部の履修者数も上昇している。４専攻制導入に伴う改革の成果であろう。

４専攻制以降の卒業生で学芸員資格を取得した者のうち、2015年度入学生では、国際文化専攻が14名、社会学専攻は１名、2016年度入学生では、国際文化専攻が16名、社会学専攻４名、コミュニティ学専攻４名であった。

国際文化専攻生の状況をもう少し詳しく見ておこう。表2abは、2015年度と2016年度の国際文化専攻の入学生について、学芸員資格を取得した者の数と取得しなかった者の数とを性別に記してある。行の「関連学科受験」というのは、国際文化に関連する中京大学の他学部、あるいは、他大学の国際文化関連学部・学科を受験したかどうかである。新入生オリエンテーション時のアンケートで、「国際」「外国語」「文化」などがつく学部・学科を受験したと回答した者の数は「＋」のところに記入し、そうした学部・学科が含まれていない者の数は「－」のところに記入した。「不明／なし」は、この質問に回答しなかった者、あるいは国際文化専攻しか受験しなかった者の数である。なお、2015年度入学者に関しては、学芸員課程を修得したが４年修了時に卒業できなかった者が１名含まれているため、学芸員資格取得者が上記のように14ではなく、15になっている。

2015年度入学者と2016年度入学者を比較するといくつか大きな違いがあることに気づく。

まず、男女比である。2015年度では女25人、男15人であったが、2016年度では女19人、男26人になった。これがなにを意味するのかは、現時点では判断できない。

関連学科受験の比率は、2015年度が（25÷(25＋10)=）62.5%、2016年度が（23÷(23＋17)=）51.1%で大きく下がっている。「国際」「外国語」「文化」に関心の薄い入学者が増えた、ということである。4専攻制設立時の宣伝効果が薄れたためかもしれない。男女別にみると、両年度とも「関連学科受験」の割合は、男より女の方が高い。

学芸員資格取得者の割合は、2015年度は37.5%（女は48%、男は2%）、2016年度は35.6%（女は36.8%、男は34.6%）である。両年度で比較すると、全体の資格取得率はわずかに下がった程度だが、女は11.2ポイント下がり、男は32.6ポイント上がった。大幅な変化である。この変化についても、今後

表2　国際文化専攻入学者

a　2015年度入学者

		学芸員課程資格			学芸員課程資格なし			
		女性	男性	小計	女性	男性	小計	合計
関連学科受験	＋	9	2	11	9	5	14	25
	−	2	1	3	2	5	7	10
	不明／なし	1	0	1	2	2	4	5
	合計	12	3	15	13	12	25	40

*4年次で卒業できなかった者が1名含まれるため、グラフより1名多い。

b　2016年度入学者

		学芸員課程資格			学芸員課程資格なし			
		女性	男性	小計	女性	男性	小計	合計
関連学科受験	＋	6	2	8	9	6	15	23
	−	1	4	5	3	9	12	17
	不明／なし	0	3	3	0	2	2	5
	合計	7	9	16	12	17	29	45

の動向を見ていかないと、どう理解すればいいかわからない。

両年を通して言えることは、学芸員課程の科目を卒業単位にカウントするようにした成果が上がっていること、および、「国際」「外国語」「文化」に関心を有する高校生に国際文化専攻を志望してもらえるよう、一層、広報に努めるべきであるということだ。

時間と空間

> コンビニは現代日本における「驚異の部屋」である。その空間はきわめて狭く限定されているが、日常生活の多様な必需品が商品の姿を取って集積している。しかしその空間構成は、例えば公共の図書館や博物館のような、客観的分類によってできあがっているわけではない。むしろ、消費者という名の個人が世界に対して抱く欲望の秩序がコンビニを統べている。その点に限って言えば、皇帝ルドルフ二世の趣味に基づく「驚異の部屋」とも同様なのである。［竹中 2020: 61］

わたしは、「客観的」ということばは、使わないことにしている。どのような言説であっても、だれかが・なんらかの意図をもって発するものだからである。「客観的分類」などというものは、存在しない。とはいえ、コンビニのような販売を目的とした空間と博物館のような感動や喜びを与える空間とが、構成原理を異にすることは確かだろう。同様な対比は、書店と図書館でも可能である。

もっとも竹中のいう「客観的分類」を「あらかじめ定められたもの」と理解すれば、図書の「十進分類法」がそれにあたるだろう。だが、博物館の「客観的分類」とはなにか？　見当がつかない。博物館の多様性が見落とされているだけかもしれない。

『蜜蜂と遠雷』にも、博物館の典型的な誤解が記されている。この小説の舞台となったピアノコンテスト開催前に亡くなったホフマン先生が、このコンテストに参加して旋風を巻き起こす風間塵に送った言葉だ。

> 音楽は、常に「現在」でなければならない。博物館に収められているも

のではなく、「現在」を共に「生きる」ものでなければ意味がないのだ。綺麗な化石を掘り出して満足しているだけでは、ただの標本だからだ。
[恩田 2019: 396]

博物館が「現在を共に生きるもの」であることは、博物館を楽しむ人ならだれもが知っている。演奏家が楽譜に命を吹き込むように、博物館は「化石」を演奏するのだ。しかし、クラシック音楽のピアニストと小説家との対比を参照すれば、博物館はピアニストより小説家に似ているということになるだろう。ピアニストは作曲家が入念に創作した楽譜、つまりあらかじめ用意された秩序を再現するのに対し、小説家は自ら材料を収集し、それらに秩序を与えるからだ。収集と研究と展示という博物館に不可欠の要素を、小説家（の多く）は備えている。

では、「元手」は？　ピアニストの美枝子は「小説家は元手がかからない」とミステリ作家の真弓をうらやんだのだが…

編集者の志儀が、『蜜蜂と遠雷』を恩田が発想した時から、取材を繰り返し、完成するまでの経緯を、原稿が遅れた恩田の言い訳メールまで引用しながら、記している。珍しい「出版社のエスノグラフィ」だ。そこにはこの小説の元手が明記されている。

…かなり長い小説なので原稿料も嵩んでいるし、その間のわたしの給料もかなり計上されているし、何度も浜松に取材に行って飲んだり食べたり泊まったりしているので、編集諸経費がかかりにかかって、原価表の利益欄が初版１万5000部、定価1800円の計算でマイナス1057万円（！）になっていたのです。
[志儀 2019: 503–504]

1800 × 15000 ＋ 10570000

で、37570000円の「元手」がかかったということだ。

本であれ、コンサートホールであれ、博物館であれ、空間に秩序を与えるには、お金がかかるということだろう。そして、うんと時間のかかる地味な助走期間が必要だ、ということも共通している。博物館学芸員課程は、博物館に不可欠な知識と技能を習得する課程である。この課程を経れば、博物館をより楽しむことができるようになる。だが、学芸員課程での学びだけでは、博物館にはならない。「純粋な」「ただの」博物館というものは、存在しないからだ。「文化人類学」「文学」「美学」「生物学」等々のもうひとつの軸が博物館には不可欠である。この点が、小説やコンサートとの違いであろう。

とはいえ、博物館学は、「文化人類学」「文学」「美学」「生物学」等々を「華やかなステージ」に立たせるのに不可欠なものであることは、看過されてはならない。2020年11月から12月にかけて朝日新聞に５回にわたって連載された「土地と道具の声を聴く」は、民俗学と呼ばれる領域に関わる博物館の創造性と未来を切り開くチカラを示している［宮代 2020a, 2020b, 2020c, 2020d, 2020e］。

文献一覧

大友昌子　2018「社会学部・現代社会学部できごと年表」『中京大学　現代社会学部紀要　2017特別号』pp. 229–242
恩田　陸　2019『蜜蜂と遠雷（上）』幻冬舎文庫
加藤晴明　2018「社会学部・現代社会学部のカリキュラム・ヒストリー」『中京大学　現代社会学部紀要　2017特別号』pp. 205–227
斉藤尚文　2018「10年後の市民学」『中京大学　現代社会学部紀要　2017特別号』pp. 191–204
志儀保博　2019「解説――『蜜蜂と遠雷』の思い出」恩田『蜜蜂と遠雷（下）』pp. 494–508
竹中　均　2020『「自閉症」の時代』講談社現代新書
中尾世治・斉藤　尚文　2018「斉藤尚文さんとの対話――ある人類学者の半生について⑴」『南山考人』46: 49–89
宮代栄一　2020a「土地と道具の声を聴く１」『朝日新聞』11月30日夕刊
宮代栄一　2020b「土地と道具の声を聴く２」『朝日新聞』12月１日夕刊
宮代栄一　2020c「土地と道具の声を聴く３」『朝日新聞』12月２日夕刊
宮代栄一　2020d「土地と道具の声を聴く４」『朝日新聞』12月３日夕刊
宮代栄一　2020e「土地と道具の声を聴く５」『朝日新聞』12月４日夕刊

第２章

大学教育と博物館展示の協働

──ンデベレ文化を教材として──

亀井哲也

1. はじめに

中京大学現代社会学部現代社会学科は、2015年度より４専攻制[1)]を導入した。これまで比較的緩やかに６つの研究フィールド[2)]に分かれていた学科の中に専攻を設け、より専門的な特徴ある学びを提供することが導入の趣旨であった。筆者が担当教員として所属することとなった国際文化専攻では、これまでの学部学科教育のカリキュラムを、「文化人類学」を学問的ベースとしながら、「フィールドワーク」、「市民活動」、「博物館」を三本柱としたプログラムに組み立て直すこととなった。ここには、1986年の社会学部開設以来文化人類学を専門とする教員が担ってきた学芸員課程を、学部専門教育のプログラムに積極的に組み込もうという意図があった。

本稿では、こうした意図のもとに2016年度から2017年度にかけて国際文化専攻および学芸員課程で実施した事例を報告し、博物館と大学の協働の可能性を示すとともに、大学教育における博物館学芸員教育と文化人類学教育について考察することを試みる。

本論に入る前に、筆者の背景および筆者と中京大学および中京大学学芸員課程との関わりについて説明する。

筆者は1993年４月から2013年３月までの20年間、野外民族博物館リトルワールド（以下、リトルワールドと略記する）で学芸員として勤務した。リトルワールドは1983年に愛知県犬山市に開館した博物館で、文化人類学を学問的背景として世界各地から収集したおよそ45,000点の民族誌資料を有し、本館展示室と野外展示場の二部構成の展示を展開している。文化人類学では、文化の普遍性を追求する一方で、個別の文化の独自性を明らかにするという全く逆のベクトルもまた追求している。それは、それぞれの民族のもつ文化的独自性を尊重した民族誌的研究を蓄積していく中で、人類全体の文化的普遍性を探るというスタンスである。リトルワールドでは本館展示室と野外展示場を用いて、このスタンスを踏襲している。まず本館展示室では、およそ6,000点の民族誌資料や100プログラム程の映像をもとに、来館者にヒトとは何か、人間の文化の普遍性は何かを問いかけるため、人類の営みを「進化」、「技術」、「言語」、「社会」、「価値」という５つのテーマに基づいて紹介している。同じテーマに基づいた異なる地域のモノを比較観察することで、文化の普遍性の発見をうながそうという展示である。もうひとつ野外展示場では、世界各地のさまざまな民族の住まい（2020年現在23か国32の家屋）を復元している。住まいはそれぞれの民族を取り巻く環境（自然環境のみならず、政治、宗教、経済などの環境も含む）の影響を受けて建てられるとともに、それぞれの民族の暮らしぶりが反映されている。実際の住まいをリアルなサイズで復元し、実際の日常生活用具を居室に配置して暮らしぶりを展示することで、展示家屋の中に入った来館者に、それぞれの民族の知恵や知識や技術を伝え、日々の営みを体感してもらいながら、それぞれの民族のもつ特徴の理解をうながそうという展示である。筆者はリトルワールドに勤務する20年の間に、南アフリカ共和国、イタリア、そしてトルコという３つの地域の野外展示家屋の復元展示にたずさわった。本稿では、そのひとつ「南アフリカ ンデベレの家」にまつわる出来事を事例の中心として取り上げていく。

また筆者は、非常勤講師として1995年の情報科学部「文化人類学」担当から中京大学に関わりはじめ、その後1997年から2012年までの16年間、社会学部の「博物館学各論Ⅰ」、「博物館学各論Ⅱ」、「民族誌特殊講義」、「文化人類学特殊講義」、「博物館実習」といった科目を担当してきた。この間、折に触れて学芸員課程担当の専任教員から科目運営に関する意見を現役の学芸員として求められることもあった。また「博物館学各論Ⅱ」では、当時専任教員であった鈴木道子教授（現名誉教授）が収集したアジア地域のものを中心とした民族誌資料300余点を託されて、学芸員課程履修生とともに資料の撮影や計測といった整理作業を行った上で、2004年度から豊田キャンパス9号館2階展示ギャラリーに設置された4つの展示ケースでの公開展示（写真1）の制作指導を任された。

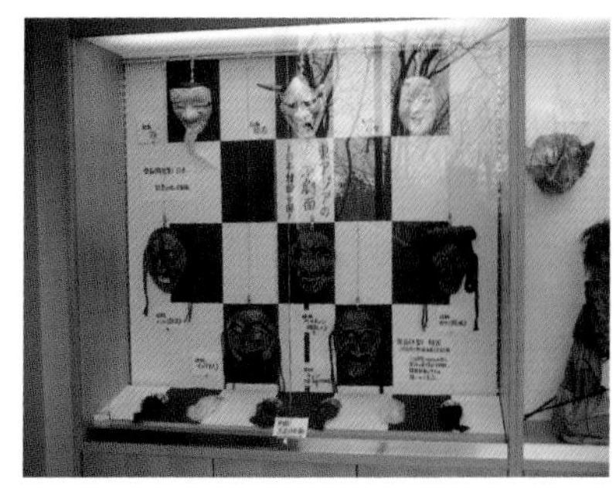

写真1　展示ギャラリー最初の展示（2004年）[3)]

写真2　ンデベレ資料を用いた展示（2016年）

2013年に筆者は中京大学現代社会学部現代社会学科の専任教員に就き、学芸員課程担当の任を引き継いだ。2015年度の4専攻制導入にともない、これまで資格科目であった博物館関係諸科目を学部固有科目とし、卒業単位に組み込むこととなった。これは先述の通り博物館学を現代社会学部国際文化専攻の柱のひとつとしたためであり、いかに学芸員課程のカリキュラムを学部および専攻のカリキュラム・ポリシー（CP）に組み込み、ディプロマ・ポリシー（DP）に結び付けるかが重要となった。とくに国際文化専攻の学生には、学芸員資格を得る過程で、文化人類学的知識・技術・思考法等を修得できるような学びに導くことが求められた。

2. 博物館での協働実践の背景

本稿では、リトルワールドの野外展示家屋「南アフリカ ンデベレの家」の壁絵修復を契機として本学の学生が関与した出来事を取り上げる。まずその背景として筆者とこの展示家屋について、ンデベレという民族の文化・社会について、そして博物館と大学の協働の実践例となった展示家屋の壁絵の改修について述べることとする。

2.1 筆者と展示家屋「南アフリカ ンデベレの家」

1993年に筆者は、「南アフリカ ンデベレの家」復元の可能性を探る研究調査を始めた。1994年から1995年にかけて2回、それぞれ1か月都合2か月の現地調査を経て、ンデベレ特有の家屋を彩る壁絵を再現するために、4名のペインターを現地からリトルワールドに招聘し、およそ2か月をかけて壁絵を描いてもらい、1995年11月に展示をオープンさせた（写真3）[4)]。アフリカの家屋は土壁や木材をそのまま用いたものが多く、茶系のアースカラーの外観イメージがある。実際それまでリトルワールドで復元してきた東アフリカ、西アフリカの3つの展示家屋は、そのような外観であった。あざやかなアクリル系水性ペンキを用いたンデベレの壁絵の豊かな色彩は、アフリカの家屋のイメージを払拭させ、来館者の関心を強くひきつけることができた。ただ研究者の中には、あまりのカラフルさに住まいのイメージをもてずに、「幼稚園のようだ」と評する者もいた。筆者は、展示家屋オープン後も、ンデベレを継続調査する機会に恵まれ、今日に至るまでほぼ毎年現地を訪れ調査を行っている。

オープン当初はあざやかに野外展示場を彩っていたンデベレの壁絵であったが、徐々に太陽光による水性ペンキの褪色、周囲を囲む木々からの樹液や雨水による汚れや黒ずみ、さらには経年による水性ペンキの剥離といった問題が生じはじめた。現地では10年くらいで劣化が著しくなるが、リトルワールドの場合は塗装下地処理の良さや日差しの弱さから、15年目までそれほど劣化は目立たなかった（写真4）。しかし劣化、褪色は徐々に進み、筆者が在職中からリトルワールドではンデベレの家の再描画を検討し始めていた。2014年頃から改修に向けての準備を始め、2015年には誰の目からも修繕が必要な状態となり（写真5）、予算化が図られた。すでに筆者はリトルワールドの職を離れていたが、客員研究員として壁絵の描き直しのための計画に協力した。

リトルワールドでの壁絵の再描画については、2015年8月末から9月にかけて、宮里孝生リトルワールド主任学芸員が南アフリカのンデベレを訪問し、翌年の秋に実施する道筋をつけた5)。筆者は宮里主任学芸員来訪をはさんでンデベレでの現地調査にあたっており、リトルワールドとペインターの橋渡し役を務めた。この時点から、筆者はこのリトルワールドの計画に合わせ、現代社会学部および国際文化専攻のカリキュラムを運用しての「ンデベレ壁絵修復サポートプロジェクト」の構想を練り始め、2016年春学期の科目からンデベレに関連した講義、演習、実習等を展開する計画を立てた。

写真３　1995年完成時のンデベレの壁絵

写真４　2009年のンデベレの家

写真５　2015年のンデベレの壁絵

2.2　事前学習・ンデベレの概要

次に、このンデベレの文化・社会について説明したい。今回の2016年秋学期の博物館との協働を視野におさめ、2016年春学期に担当した「文化人類学特講」では、ンデベレの文化や社会を取り上げた。「文化人類学特講」は2年次春学期開講科目で、現代社会学部固有科目であり、国際文化専攻選択必修科目でもある。この科目を通じて、ンデベレ文化のあらましを受講生に伝達し、秋学期の活動に結びつけてもらおうと考えた。シラバスに沿ってこの講義の内容、すなわちンデベレの文化や社会について説明する。

シラバスの授業概要では「アフリカの中でも特異な装飾文化をもつ南アフリカ共和国のンデベレ社会を事例としてとりあげる。世界的に注目されているンデベレの装飾文化であるが、華やかさのみを取り上げられがちで、ンデベレの文化的脈絡の中で語られることは少ない。ンデベレの表現する「伝統」としての装飾文化の諸相を、ンデベレの歴史、社会、儀礼といった側面から文化人類学的に考察し、「伝統」についての理解を深めていきたい」と述べ、科目の副題には「「伝統」の創造」と掲げた。

この講義は、筆者が1994年から継続して調査しているンデベレ社会について、「伝統」という概念をキーワードに解説し、理解をうながすことを目的とした。「伝統」という概念は1980年代半ば以降、文化人類学では大きく変化した。そのきっかけとなったのはエリック・ホブズボウムとテレンス・レンジャーが編著者となって1983年に出版した *The Invention of Tradition* である。1992年に紀伊國屋書店から文化人類学叢書の一巻『創られた伝統』として邦訳されており、シラバスの参考文献にも載せた。

シラバスでは、「過去から連綿と受け伝えられ、未来へと継承される事柄として語られがちな「伝統」であるが、今日私たちが「伝統」として意識したり、「伝統」と表現している事柄の多くは、そう遠い昔に遡れるものではない。講義を通じて、「伝統」という概念・表現を相対化し、再認識することができる。ンデベレ文化を学ぶことで、異文化理解は自らの文化を顧みてその比較の上で成り立つものであると理解することができる。"比較文化"の実践から、他者の文化の"不可思議"に見える事象を許容・理解するとともに自己の文化を“再発見”することができる」ようになることを、授業目標（学習到達目標）とした。

この講義は2015年度入学生からの新設科目のため、履修登録をしたのは２年生のみで、国際文化専攻32名、他専攻18名の計50名であった。講義は次に列記するような内容で進め、適宜小レポートの提出を求め、最終的には期末レポートを課して評価を行った。

アフリカ自体にあまりなじみもなく、ンデベレという民族も初めて知る学生たちに対し、事前にレジュメなどの資料を配信した上で、講義では図表や現地写真、そして映像を用いることで、同時代に生きる人びとの文化に関心を持ってもらえるように努めた。

①ンデベレの概要[6)]

ンデベレという民族が形成する社会が、南アフリカ共和国（以下南アフリカとする）でどのような位置づけにあるのか、その概要をパワーポイントで100枚程度の写真、地図、図表のスライドを用いて説明した。手短に説明すると、ンデベレ語を母語とする人びとは、南アフリカ総人口のおよそ２％でしかないが、100万人規模の民族でもあり、南アフリカの11の公用語のひとつの話者でもある。ンデベレの人びとが自分たちの「伝統」として語るものに「幾何学模様の壁絵をもつ家」、「５色のストライプ模様の毛布」、「カラフルなビーズワーク」という３つの装飾文化があり、それはンデベレの文化的特徴となっている。

②ンデベレの壁絵文化[7)]

ンデベレ文化を特徴づける壁絵について、女性たちが描き手であり、日々の暮らしの中や憧れる生活の中からカラフルで幾何学的、対称的、連続的デザインを発案し、それぞれの住まいに描くものであり、それをンデベレ自ら「伝統」と称することをパワーポイントで写真を用いて説明した。その一方でこの壁絵が水性ペイントという近代工業製品を用いていることから、住まいとその壁材と画材の変遷を解説した。また、「伝統」としてンデベレの多くの住まいや、王宮、教会にも描かれた壁絵が、現在では描き手が減少し、描かれることが少なくなってしまっている事実を述べた。

③ンデベレの毛布とビーズワーク[8)]

ンデベレの装飾文化の2つについてパワーポイントを用いて説明した。まず、ウンバーロ *umbhalo* 呼ばれる5色のストライプ模様の毛布が、現在では工場生産のアクリル製で市販されているものであるが、ンデベレだけが着用するものであり、ンデベレの民族衣装となっていることを説明した。ビーズワーク自体はンデベレだけに特有の文化ではなく、南アフリカの諸民族で製作され着用されている。ここでは世界のビーズの歴史、製法、素材を概観した後、ンデベレにおけるビーズワークの役割を、装飾、個人の表象、生活の糧、民族の表象という観点から解説した。

④ンデベレの歴史[9)]

3つの装飾文化を自らの「伝統」とするンデベレの歴史を、1883年のオランダ系白人ボーアとの戦いとその敗戦により財産没収、民族離散となったことから始め、アパルトヘイト下でのホームランド・クワンデベレの建国、そして博物館建設に至るまで、政治史から解説するとともに、1980年代からンデベレ文化が海外で活発に取り上げられるようになったことについて、雑誌や写真集、美術館での展覧会の事例から説明した。黒人に抑圧的な政治が南アフリカを覆う中で、そこに生きる人々の生活に焦点が当てられ、草の根の文化活動が世界的に脚光を浴びるようになったことを説明した。

⑤南アフリカの歴史[10)]

前回のンデベレの歴史をもう少し広い目で捉え直し、南部アフリカへの黒人と白人の流入、黒人同士の衝突、白人同士の衝突、そして黒人と白人の衝突の歴史を説明した。ここで、ンデベレにとっての「伝統」とは何かを問いかけた。我々が持つ「伝統」概念では、過去と現在という枠組みの中で連続性や歴史性を求めるのに対し、ンデベレの事例はそれだけでは理解できない。ホブズボウムの『創られた伝統』を紹介しながら、「伝統」概念にはもうひとつ他者と自己という枠組みがあり、差異性や独自性が求められているのではないかという仮説を提示した。

⑥ンデベレの女性

『美を造る―南アフリカ・ンデベレの女性達』という1993年制作のドキュメンタリー番組（日本語吹き替え版、25分）を視聴し、映像でンデベレの壁絵文化と女性たちの暮らしぶりを紹介した。母から娘、祖母から孫娘へと女性たちがンデベレの装飾文化を継承していく過程では、口伝えも手ほどきもなく、祖母や母の描いている姿を見ることで受け継いでいく様子が映し出されていた。ンデベレの装飾文化には定まった型があるわけではなく、「民族のプール」のようなものがあり、時代時代でさまざまに変化するものであることも指摘されていた。

⑦南部アフリカの３つのンデベレ

南部アフリカにはンデベレを自称する民族が3集団ある。本講義で取り上げているのは南トランスバール・ンデベレであるが、他に北トランスバール・ンデベレとジンバブエ・ンデベレがいる。これらの名称は3つを区別するための研究上の類別的な表現であり、ンデベレ自身もしばしば混同することがある。この回は、この3つの民族それぞれの歴史を説明しながら、その違いを明らかにした。第5回および第6回の講義と関連させ、より深く民族の移動と成り立ちについて知ることで、日本人にはなじみのない「民族意識」の流動性、創り出される「民族意識」について考察をうながした。

⑧ンデベレの親族組織・社会組織[11)]

文化人類学では家族や親族のシステムが、社会全体のあり方や民族の価値観に大きな影響をおよぼすことを説明した上で、一夫多妻制で父系末子相続制度をもつンデベレ社会の家族や親族の呼称を説明し、マードックの親族名称体系にあてはめ、我々との違いを確認した。ンデベレの人びとは南アフリカの国民であると同時にンデベレの王の臣民でもある。「伝統」的権威としての王を頂点としたンデベレの社会組織が、慣習法に基づく裁判制度において今日も機能しているとともに、州政府の行政末端組織として情報伝達を担いながら近代国家と結びついていることを解説した。

⑨ンデベレの男子成人儀礼[12)]

ンデベレの王を頂点としチーフ、村長、そして各々の家族の長へとつながる王国の社会組織が活発に働き、最も重要なイベントとされる、男子成人儀礼を取り上げた。儀礼はおよそ4年に一度、集団で執り行われ、集落から離れたブッシュでの2か月間の隔離がともなう。ヴァン・ジェネップの通過儀礼論になぞらえて、儀礼の流れを詳しく説明した。男子成人儀礼は、息子たちの成長を確認し大人の仲間入りを許可するという点では、個人的な人生儀礼のひとつであるが、参加料を徴収しそれを村長らに再分配するという点では、王の権威を経済的に裏付ける重要な活動と捉えることもできることを解説した。

⑩ The Long Tears

“The Long Tears—An Ndebele Story” という1998年制作のドキュメンタリー番組（英語版、52分）を取り上げた。前もって番組の紹介文（英文）を配布し、予習した上で映像を視聴してもらった。タイトルの “The Long Tears” は、ンデベレの装身具ウムリンガコーベ *umlingakobe* を英語に直訳したものである。ウムリンガコーベは、息子が男子成人儀礼に参加しているあるいはかつて参加した母親のみが着用を許され、2か月もブッシュで過ごさねばならない息子を心配する母親の象徴とされている。番組の視聴後、質問やコメントを記入、提出してもらった。

⑪ The Long Tears 解説

受講生からの質問やコメントに答えながら先回のドキュメンタリー番組を再度視聴した。英語の番組ということもあり、説明が聞き取れなかった者が多かったが、繰り返し見ることと、その都度解説を入れることで理解を深めることができた。儀礼が終わったところで、お披露目の祝いの期間となり、成人となった男たちは5色のストライプの毛布やビーズ装身具を身にまとう。男たちがこうした衣装を身にまとうのは一生に一度、この機会だけである。ンデベレの「伝統」とされる装飾文化の主たる担い手は女たちであるが、男たちもその一端を担っていることを確認した。

⑫ンデベレの女子成人儀礼[13)]

ンデベレでは、女子の成人儀礼でも2か月間の隔離があり、少女から結婚可能、すなわち出産可能な女性へと生まれ変わる。女子の場合は、個人ごとに行われ、屋敷地の一棟あるいは一部屋をあてがわれ、幼い弟以外の男性の目に触れないように過ごす。テレビも学校の勉強もスマホも禁止され、おしゃべりすることだけが楽しみとなっている。儀礼期間の中間に行われる祝いが一番華やかである。主役の娘は姿を現わせないが、介添え役の友人たちや祖母・母・姉たち、そして近隣の女性たちがンデベレの民族衣装を身にまとい、唄や踊りを披露する。

⑬ンデベレの婚姻儀礼[14)]

ンデベレの3つ目の儀礼として結婚を取り上げた。いわゆる「伝統」的な儀礼は、家同士、長老たちの間で執り行われる。ロボラ *lobora* と呼ばれる婚資の額（ウシの頭数）を決めるやりとり、贈られたウシやヤギを屠殺し肉を分けるしきたりなど、当事者の花嫁花婿が関わることは少ない。1990年代以降は、新郎新婦が主となっていわゆる「西欧」的な結婚式、披露宴を別に催すようになっている。ただし、女性の高学歴化による婚資の高騰と若年層の高い失業率が結婚を難しくしており、現在、未婚の母、晩婚化がンデベレの社会問題となっている。

⑭ンデベレの「伝統」意識[15)]

これまでの13回の講義の内容を整理した。ンデベレの「伝統」について、その表れとしての壁絵・毛布・ビーズワークという3つの装飾文化のあらまし、ンデベレの民族としての成り立ちや装飾文化が「伝統」として意識される背景にある敗戦・民族離散・アパルトヘイトなどの歴史的な経緯、ンデベレの「伝統」儀礼でありまた装飾文化という「伝統」が表出する場でもある男子成人儀礼・女子成人儀礼・婚姻儀礼という流れで講義を展開したことを確認し、受講生たちにはンデベレの「伝統」がンデベレをめぐるさまざまな事象と結びついていることを解説した。

⑮まとめ

第5回講義で提示した仮説を再度取り上げ、ンデベレの事例から、我々が過去と現在という枠組みの中で「伝統」を捉え連続性や歴史性を見ようとする姿勢が、「伝統」の捉え方の一面でしかないことを確認した。ンデベレの装飾文化すなわち「伝統」は、ンデベレの歴史や諸々の環境を反映し、白人文化の影響を強く受けて発展してきたものであり、そこに、近代と対置されるいわゆる「伝統」を見出すことは難しい。ンデベレの「伝統」は、西欧文化を中心とした近代にどっぷりと浸かりつつ非西欧性を表現したもので、その根底にあるのは他者との比較の上での自文化の独自性を強調することであると結論付けた。

15回の講義を通じて、受講生はアフリカ社会、そしてンデベレ社会の知識を獲得するとともに、文化人類学的なものの見方・考え方を身につけてもらえたと感じている。秋学期には実際にンデベレの人たちと接する機会があるということもあり、学生たちの関心も高かった。とくに、同年代の若者が経験する男子成人儀礼や、女子成人儀礼の2か月の隔離には驚き、自分たちの身に置き換えて、「つらそう」、「耐えられそうもない」という意見が多かった。その一方で、「こうした儀礼があった方が、自分たちも大人としての心構えができてよいかもしれない」というコメントもあった。また、日本で漢字を千年以上も使い続けているにもかかわらず「伝統」と認識されないのは、中国から輸入し借用した「他者」の文化という意識があるからであり、アニメが日本文化あるいは日本の伝統文化と語られる風潮は、どこが発祥地かということよりも、日本の中で様式や技術を発展させたという「独自性」を意識しているからであるといった身近な事例も紹介し、「伝統」の枠組みには、「過去と現在」だけでなく「自己と他者」というものもあり、「伝統」という意識には歴史性や連続性だけでなく独自性や差異性があることの理解につなげた。

2.3 リトルワールドの壁絵修復

次に、リトルワールドの野外展示家屋「南アフリカ ンデベレの家」壁面改修、壁絵修復について説明する。

2016年9月末、壁絵修復のため、ンデベレのペインターが来日した[16)]。1995年、21年前の家屋復元時にも招聘したナムコネニ・レア・ツバネ（Mrs. Namkoneni Leah Thubane）さんをリーダーとし、レアさんが活動するムプマランガ州立コドゥワナ文化村博物館（Kghodwana Cultural Village and Museum）の同僚であったンツォバーナ・ローズ・マヒャング（Mrs. Ntsobana Rose Mahlangu）さん、レアさんの妹のプレシャス・ゾドゥワ・マヒャング（Mrs. Precious Zodwa Mahlangu）さん、レアさんとプレシャスさんの姪のザネッレ・ルシア・シトレ（Mrs. Zanelle Lucia Sithole）さんの4名が、今回の壁絵修復にあたった。

ンデベレの壁絵の傷み具合は一様ではなく、かなり傷んでいると感じる壁面もあれば、さほど気にならない壁面もあった。南に向いた壁面の褪色が最も激しく、次いで雨だれや樹液がかかる部分の汚れが目立っていた。リトルワールドでは褪色や劣化の具合を見極めて、修復の範囲を上書きする部分と描き直す部分に区分し、それぞれに応じた準備作業を行った。まず上書きする壁面に高圧洗浄をかけた。褪色してはいるものの塗料の劣化はそれほど進んでおらず、1995年制作の壁絵はそのままに表面の汚れのみを洗い流した（写真6、7）。なお、家屋や小塀の裏側など来館者の動線上目に触れない壁面は、1995年の制作時にも描画しておらず、今回の修復にあたっては高圧洗浄をかけたのみである。次に、描き直す壁面にも高圧洗浄をかけた。褪色の激しい壁面は塗料の劣化も著しく、高圧洗浄により塗料が剥がれ落ち下地の白ペイントが見えたところもあった（写真8）。さらには、下地の白ペイントも消えてコンクリートの地が露出したところもあった（写真9）。汚れとともに1995年制作の壁絵も洗い流された壁面には、以前の壁絵が隠れるように白ペイントで下地処理を施し真っ白な壁に仕上げた。用いたペイントは、1995年制作時と同じアクリルエマルジョン系の水性ペイントである。褪色しにくく、劣化も進みにくいという特性で、ンデベレのペインターに確認してもらった上で採用した。ペインターが描きやすいように家屋の周囲に足場を組み（写真10）、壁絵の修復を開始した。

描き直しの部分に関し、壁絵のデザインはすべてペインターの発案に委ねられた。1995年の制作の経験のあるレアさんは、リトルワールドの展示に対する考え方を十分に理解しており、ンデベレのペインターがンデベレのデザインをンデベレの家の壁に描くことの価値を共有した上で、ンデベレ文化を日本で紹介するに相応しいデザインを考案し描いてくれた。リーダーのレアさんが白い壁に新しい模様の輪郭を黒いペイントで描き、黒い縁取りの中の色を指定すると、プレシャスさんとザネッレさんがその色で模様を塗りつぶし、最後にローズさんが輪郭を整え仕上げるという分業制で壁絵の塗り直しは進んだ（写真11）。もちろん、4人が相談しながら模様や色を考える場合も、レアさんがプレシャスさんやザネッレさんに色の選択を任せるような場合もあった。

上書きの部分に関しては、経年による褪色を補うべく、1995年の制作時と同じ色の水性ペイントを用いて、同じデザインを描いた。1995年制作時に使用したペイントの色はすべて記録してあったため、業者への色指定等に問題はなかった。現地でも傷んだ壁絵の上書きは一般的であるが、下地処理を施した描き直しに比べ壁面へのペイントの密着性は弱くなりがちであり、

写真６　高圧洗浄前の壁絵（LW 提供）

写真７　高圧洗浄後の壁絵（LW 提供）

写真８　塗料が剥がれ落ちた壁絵(LW 提供)

写真９　コンクリート地まで見える壁

写真10　白く塗り直された壁

写真11　描画の様子

この点は今後の経過を見守る必要があると思う。

リトルワールドでは当初、今回の壁絵修復を９月29日から10月30日までの日程で計画し、４名のペインターは９月27日に南アフリカを出国し11月２日に帰国する予定であった。しかし、ペインターが来日してから１週間、ぐずついた天気が続いてしまった。壁絵は、水性ペイントが乾いたことを確認しながら描かれる。その点、日照や湿度、そして雨に大きく影響される。1995年の制作の際は雨天には屋内の壁絵を描画したが、今回は屋内の描画はなく、天気が制作スケジュールに大きく影響した。当初４週間の予定であった滞在は延び、11月12日まで修復作業を行った。11月13日に修復完了のお祝いをし、15日に日本を出国、翌16日に南アフリカに帰国、結局７週間におよぶ滞在となった。

3.　ンデベレ壁絵修復サポートプロジェクト

3.1　学部カリキュラム

ンデベレのペインターの来日に合わせ、博物館実習履修生の３、４年生、および亀井ゼミ所属の２、３、４年生の学修カリキュラムに、リトルワールドでの壁絵修復作業やイベントへのサポートを組み込んだ。対象とした科目は「博物館実習」、「多文化共生フィールドワーク」、「キャリア構想ケーススタディⅠ」、そして「演習Ⅰ」である。それぞれの科目の学びについて説明する。

「博物館実習」は３単位の実習科目で、資格課程である学芸員課程の21単位10科目のひとつであり、課程総仕上げの位置づけとなっている。中京大学では学芸員課程開設以来、実習先としてリトルワールドの協力を仰いでおり、文化人類学のみならず社会学諸分野を専攻する学生たちが実習を受けてきた[17)]。2015年度の４専攻制導入にともなって学芸員課程のカリキュラム改正を行い、４年次開講科目であった「博物館実習」を３年次開講に変更したため、この年、2016年度は２つの学年で「博物館実習」を開講した。博物館実習のカリキュラム内容には４つの柱がある。ひとつは、博物館実習室で資料の扱い方や展示の仕方に関する技術を習得する学内での実務実習。次に、さまざまな博物館の運営実態を学ぶ見学実習。そして、リトルワールドという実際の博物館で5日間にわたり実務を経験しながら、博物館の展示や教育普及活動に関わる課題を提出する館園実習。最後に、前述の豊田キャンパス9号館2階展示ギャラリーにて大学収蔵の資料を用いた展示を制作する学内展示実習である。2016年度に「博物館実習」を履修した学生は、6月と7月に1回ずつリトルワールドにて館園実習を行って展示に関する知識を深めた上で、10月の3回目、4回目の館園実習で、ンデベレの壁絵修復に関わるイベントに参与し、11月の最終回でンデベレに関わる課題を報告、提出した。

「多文化共生フィールドワーク」という科目は、現代社会学部特有の2単位の認定科目である。「異なる文化的背景をもった人々が共により良く生きるために活動する団体に加わり、共に活動したことの記録を作成」することを授業の目的としており、30時間以上の活動をするとともに、活動記録と活動報告を提出することを課している。ゼミ所属の学生にこの科目を説明し、リトルワールドでの壁絵修復をサポートするボランティア活動を行った時間数と記録および報告の提出で単位を認めることとした。

「キャリア構想ケーススタディⅠ」は現代社会学部4専攻制導入にともない新設された科目で、2015年度入学生の2年次必修1単位科目であった。大学での学修や自主活動と、社会とのつながり、自分の将来とのつながりを理解し、大学生活の目標や行動計画をより具体的に設定できるようになることを目的とし、社会から提起される問題を知り、大学での学びの課題を具体的に設定することを目標とした科目である。講義、ゲストスピーチ、グループワーク、実習、報告等の形式で、8時間の実施が求められている。博物館施設で、春学期に学んだンデベレの「伝統」文化である壁絵の修復サポートを実習体験の対象とし、これからの大学での学びや自分の進路を考えるきっかけを提供することとした。

「演習Ⅰ」は2年次秋学期に設定される演習科目で、現代社会学部4専攻制導入にともない、これまで通年科目であった演習が半期科目となったものである。国際文化専攻では、それぞれの担当教員の専門分野に応じてカリキュラムを考案している。亀井ゼミでは、ゼミ生の文化人類学、博物館学、異文化への関心を引き出しながら、それぞれの読解能力や表現能力のスキル

表１　壁絵修復の日程と参加学生数

日　付	9/27(火)	9/28(水)	9/29(木)	9/30(金)	10/1(土)	10/2(日)
天　気	☁	☂	☂☁	☁	☁	⛅
日　程	南ア出国	日本到着	描画開始	描画	描画	描画
人　数					3	5
	10/3(月)	10/4(火)	10/5(水)	10/6(木)	10/7(金)	10/8(土)	10/9(日)
	☂	☁	☁☂	☼	☼	⛅	☁
	描画	描画	休日	描画	描画	描画	描画
						11	8
	10/10(祝)	10/11(火)	10/12(水)	10/13(木)	10/14(金)	10/15(土)	10/16(日)
	☼	☁	⛅	⛅	⛅	☼	☼
	描画	描画	描画	描画	描画	描画	描画
					1	17	21
	10/17(月)	10/18(火)	10/19(水)	10/20(木)	10/21(金)	10/22(土)	10/23(日)
	☂☁	☼	☼	☼	☁	☁	⛅
	休日	描画	描画	描画	描画	描画	描画
					1	19	23
	10/24(月)	10/25(火)	10/26(水)	10/27(木)	10/28(金)	10/29(土)	10/30(日)
	☼	☼	☼	☼	☂	☼	☼
	描画	描画	描画	描画	休日	描画	描画
					1	3	6
	10/31(月)	11/1(火)	11/2(水)	11/3(祝)	11/4(金)	11/5(土)	11/6(日)
	☁	☼	☼	☼	☼	☼	☼
	描画	描画	描画	描画	描画	描画	描画
	11/7(月)	11/8(火)	11/9(水)	11/10(木)	11/11(金)	11/12(土)	11/13(日)
	☼	☂☁	☼	☁	☼	☼	☼
	描画	描画	描画	描画	描画	描画	修復完了
	11/14(月)	11/15(火)	11/16(水)				
	☂☁	⛅	☼				
		日本出国	南ア帰国				

を高めることに努めている。

以上の大学の教育カリキュラムと組み合わせ、リトルワールドでの「ンデベレ壁絵修復サポートプロジェクト」に学生が関わった。表1は、日付と天候、ンデベレのペインターの日程、そして活動に参加した学生の人数を示している。

当初の修復計画が10月中に完了する予定であったことと、11月の初旬の大学祭でゼミとしての展示を計画していたことから、学生の参与は10月末までとなった。また、秋学期中のため学生の活動への参加は土日を中心としたものであったが、リトルワールドが企画したいくつかのイベントもまた土日に集中していたので、この点は大学と博物館双方の希望が合致していたと思う。13日間で40人の学生が、延べ119人日、この「ンデベレ壁絵修復サポートプロジェクト」に関わった。

3.2 壁絵修復への学生のサポート

ンデベレの壁絵修復にあたり、リトルワールドの学芸員の指示を受けながら、学生たちはペインターの描画のサポートとともに解説活動を行った。

リトルワールドも、壁絵の修復についての説明板などを設置して情報を提供していたが、学生たちには積極的に来館者に声をかけ、今回の修復について解説するように求めた。博物館学芸員の中では、文字を読むことよりも人と接して得る情報の方が印象に残りやすいと一般的に言われている。学生たちには、講義で学んだ知識や、このサポートで得た知識、そしてンデベレのペインターと話して教わった知識を、来館者の方々に伝達してほしいと依頼した（写真12）。ただ、来館者との交流は期待していたほどではなかった。

ペインターの作業へのサポート内容を列記する。ペイント缶の運び出し、ペットボトルを切断しての描画時手持ち用の容器製作、容器にペインターから指定されたペイントを注ぎ小分けすること（写真13）、それをペインターの手元へ運搬すること、描画で床が汚れるのを防ぐための養生シート貼り、絵筆の洗浄（写真14）などである。とくに絵筆の洗浄は重要で、ペイントが残っていると次に使った時に色が濁ってしまうため、ひとつひとつ手作業で洗い落とす手間のかかる作業であった。

ペインターの作業が進むにつれて、サポート内容が変化していった。雨天が続き作業の遅れを気にしだしたペインターが、壁絵自体の修復にも助力を求めるようになった。家屋の裏側の褪色部分への上書き作業のサポートである（写真15）。デザインも色も変更せず、1995年制作時の姿に戻すことが求められた。学生たちは壁絵修復に直接関与できること、自分が作業に関わった壁絵がリトルワールドに残ることを喜んでいた。ただ、壁絵の手直しに加わった学生の数が多すぎた日もあったことは反省材料である。

なおサポート活動をするにあたり、壁絵修復を手伝っている学生であることが一般来館者にはっきり分かるように、ユニフォームとしてブルゾンを用意した。背面は次の図1のようなデザインである。宮里孝生主任学芸員が担当する「博物館教育論」では、体験プログラムの事例として「切り絵」の制作を行っている。このデザインは、筆者のゼミ生の一人、中川優佳（当時4年生）が2年次にンデベレの模様をイメージして制作したもので、今回の活動に合っていると考え、採用した。

写真12　壁絵修復の解説

写真13　ペイントの小分け

写真14　絵筆の洗浄

写真15　壁絵の上書き作業

図1　ブルゾンのデザイン

3.3　ペイント体験への学生のサポート

ンデベレの壁絵修復期間中、リトルワールドでは「ンデベレの家 ペイント体験」と題し、10月の土日の４日間、各日４回、合計16回の体験イベントを催し、合計90名の参加があった（表２）。50cm四方程度のスペースの壁絵を水性ペイントで描く体験で、ンデベレの壁絵を一緒に修復しようという、博物館活動への来館者の関与を目的としたものであった。

表２　ペイント体験イベントの参加者数（人）

		10/15(土)	10/16(日)	10/22(土)	10/23(日)	合計
１回目	11時～	3	4	5	5	
２回目	11時半～	5	5	6	8	
３回目	14時～	7	6	5	6	
４回目	14時半～	7	5	5	8	
計		22	20	21	27	90

リトルワールドでの1995年の制作時と2016年の修復時とを比べると、来館者の関与という点で大きな変化があった。来館者が関わる博物館づくりを目指すべきという博物館一般をめぐる時代の要請が、リトルワールドの施策にも影響をおよぼし、ペインターと一般来館者との交流の機会を増やそうという意識につながったのである。1995年制作の時には、４人の女性ペインターを招聘するとともに、１名の男性を一緒に招いていた。４人の女性たち

との英語を介したコミュニケーションに不安があり、当時の政府クワンデベレ文化局のスタッフに通訳、運転手、その他諸々のサポート役として来日することをお願いした。ペインターが描いている間、英語ではあったが、彼は一般来館者と会話し、ンデベレ文化の紹介に努めてくれていた。またこうした交流がないと、ペインターは単に壁絵を描く人たちという「見世物」になってしまい、博物館としての姿勢を疑問視されることになりかねない。今回は４名のペインターのうち３名が流暢に英語を操ることもあり、通訳としてのスタッフを招くことはしなかった。ただ、来館者との交流が描画作業を中断させることも度々あり、学生の解説サポートをもっと充実させたかった。

「ンデベレの家 ペイント体験」には、４人のペインターのうちザネッレさんが参加し、他の３名は描画作業を続けた。ザネッレさんによる英語でのンデベレの壁絵についての説明を学芸員が日本語に通訳して始まり（写真16）、参加者は壁絵を指定されて修復にあたった。このイベントには博物館実習生が館務実習の一環としてたずさわり、受付からペイントや絵筆の準備、描き方の説明などのサポート役を務めた。小学４年生から大人までが対象のイベントで、さまざまな年齢層の方が参加していた。皆さん、指定された部分をはみ出さないように慎重に描いていた（写真17）が、まっすぐ絵筆を動かすことの難しさを知り、ンデベレのペインターの優れた技量を実感されていた。イベントの最後には、この壁絵修復プロジェクトへの参加証明書をザネッレさんが参加者に贈った。このイベントを実施した４日間は、学

写真16　ザネッレさんの説明

写真17　壁絵を描く参加者[18)]

写真18　マンツーマンのサポート

写真19　展示家屋での解説

芸員が関わるイベントが重なっていたため、マンツーマンで参加者を接遇（写真18）できた学生たちのサポートはリトルワールドの学芸員から感謝された。

3.4　講演会等への学生サポート

今回のンデベレの壁絵修復にあわせ、リトルワールド主催の講座や学会主催の研究例会が企画実施された。こうした活動へのサポートも学生たちの多様な経験のひとつと捉え、運営にたずさわってもらった。

①リトルワールドカレッジ

リトルワールドでは2004年から、教育普及活動の一環として展示についてもっと詳しく知りたいという来館者向けに年間予約制で講座を開設している。講師にはリトルワールドの展示家屋の復元にたずさわった学芸員、元学芸員があたり、筆者もその一人である。2007年度からは、それまでの講座を「ベーシックコース」とし、新たに継続受講者向けの「マスターコース」を設けている。

10月15日（土）のリトルワールドカレッジ・ベーシックコースでは、筆者が講師を務め、「「南アフリカ　ンデベレの家」について」と題し、家屋復元の経緯、壁絵をはじめとする装飾文化について話をした。午後には展示家屋に移動し、実際の描画の様子を受講者とともに見ながら解説をした。学生たちには、展示家屋での見学動線確保をサポートしてもらった。

翌日、10月16日（日）にも筆者が講師を務め、リトルワールドカレッジ・

マスターコースの受講生に向け、「ンデベレ描画修復プロジェクトについて」と題し、1995年の制作時と今回の制作とを比較しながら、リトルワールドの展示家屋の修繕について話をした。通常マスターコースは午前中の講義で終了なのであるが、この回は特別に午後の展示家屋見学も行い（写真19）、昨日に引き続き、学生たちの見学動線確保のサポートを受けながら、壁絵修復作業の実際を解説した。

②民族藝術学会研究例会

10月22日（土）には、筆者が所属し運営に関わっている民族藝術学会の第143回研究例会をリトルワールドで開催した。午前中、学会の会員でもある大貫良夫リトルワールド館長の挨拶の後、筆者が「Ndebele Designの海外発信」と題した研究発表を行った。午後には展示家屋に再集合し、ペインターの描画活動を観覧した後、壁絵を描く作業を体験してもらった。愛知県内のみならず、大阪、四国、東京からも参集され、一般を含め16名の参加があった。例会実施にあたっては、受付、会場案内、記録撮影等に学生たちの助力を得た[19)]。

リトルワールドの活動と協働しての実践として、以上のような内容で、亀井ゼミおよび博物館実習履修生40名が、この「ンデベレ壁絵修復サポートプロジェクト」に関わった。社会教育施設として博物館活動を行っている野外民族博物館リトルワールドではあるが、名鉄インプレスという民間企業の経営する施設ということもあって、運営にあたっては国公立あるいは財団立の博物館とは大きく異なり、年間およそ50万人[20)]の入館料をはじめとする営業収入のみで黒字経営を求められている。こうした博物館施設をフィールドとした実践が、「キャリア構想ケーススタディⅠ」、「多文化共生フィールドワーク」、そして「博物館実習」の学びとして、参加した学生の知識と技術として蓄積され、それぞれのキャリア形成の礎になると考えている。この章では博物館にフィールドを提供してもらっての活動を報告したが、次章では、大学での学びを博物館に提供する実践について報告する。

4. 大学での協働実践：解説シート制作

大学での学びを博物館に提供する実践として、「博物館実習」、「演習Ⅰ」の学びの中で学生たちが南アフリカやンデベレに関する解説シートを制作した。

リトルワールドの野外展示家屋「南アフリカ ンデベレの家」には、ンデベレを紹介するいくつもの文字情報がある。まず展示として固定・半固定されているものに、家屋外部に設置したⓐ大型解説板、家屋内部に設置したⓑ解説パネル、敷地内の建物や部屋を説明するⓒ中型キャプション、そしてそれぞれの民族誌資料を説明するⓓ小型キャプションがある。リトルワールドの家屋展示の理想は、ついさっきまで住人がそこにいたかのような生活感のある様子を再現することにある。大小の解説板を展示に多数設置することはこの理想に反することであるが、十分な情報を提供して誤解を生まない展示を制作することは博物館の責務でもある。ⓑの解説パネルは、現地の様子をもっと来館者に伝えたいという願いから写真を多用したもので、1983年の開館からしばらくして導入したものである。次に、来館者が持ち帰りのできるハンドアウトとして、ⓔ「リトルワールド・インフォメーション」というA5判両面白黒印刷の解説チラシがある。こちらは2000年に提供を開始したものである。固定型の展示解説情報をその場で立って読むのは疲れることであり、持ち帰って展示を思い出しながらゆっくり読み直してほしいという願いから制作し、展示家屋内に設置したものである。今回「ンデベレ壁絵修復サポートプロジェクト」にたずさわった学生たちに制作してもらったのは、これら5つとは異なるタイプの文字情報であった。

博物館展示における情報伝達手法を探求する中で、上述のように空間の雰囲気を重視するリトルワールドの展示家屋内生活展示の場において、壁面を用いた文字・写真パネルは異質性が高く、情報量を増やすためにこれ以上展示装置を追加することは難しいと考えた。その代替となる展示装置として、書物をめくるような感覚の体験を重視し、極めてアナログではあるが、幅広い年齢層に対応できる手法と考え、書見台式解説シートの実践利用を試みることとした。筆者は、リトルワールド在職時、この書見台形式の解説シートを2013年「トルコ イスタンブールの街」オープンの際に導入したのだが、十分に活用できていないと反省していた。今回「ンデベレ壁絵修復サポートプロジェクト」に関わったことを契機に、「博物館実習」および「演習Ⅰ」の課題として、学生が南アフリカやンデベレに関する事柄を調べ、文章化し、一般来館者の観覧に供せるほどに見映えよく体裁を整えた解説シートを制作することとした。

4.1　スーパーマーケットのチラシ

リトルワールドの生活展示のひとつに、展示家屋のもともとの所在地のカレンダーを集め、家屋内に掲示するというものがある。筆者もンデベレへ調査に赴いた際には必ずカレンダーを探し、入手に努めていた（現在も協力している）。日本でもそうだが、ンデベレでも年末になると商店などが宣伝を兼ねて顧客にカレンダーを配布する習慣がある。もうひとつ商店が配布するものに、販売品のチラシがある。リトルワールドの「ンデベレの家」では、これもまた現地の暮らしぶりを紹介するのに適したものと考え、スーパーマーケットの特売品のチラシを展示するようになった。

2016年秋学期の「演習Ⅰ」では、筆者が８月に南アフリカのンデベレ地域を調査した際に収集したスーパーマーケットのチラシを教材として用いた。

ンデベレ社会が、もともとはウシを飼いながら農耕を営む牧畜民であったが、19世紀末の白人との戦いに敗れ、土地もウシも没収され、白人経営農場で働かざるを得ないようになったこと、農場の働き口がない場合には石炭やダイヤモンドなどの鉱物資源採掘場や、ヨハネスブルグやプレトリアなどの都市の工場や商店で賃金労働者として働くようになったこと、そのために現在のンデベレでの一般的な食料入手方法が近隣のスーパーマーケットであることは、すでに春学期の「文化人類学特講」で説明していた。敷地で菜園を耕すこともあるが、自給自足ができるほどの規模はなく、多くの食料は購入しなければならない。

写真20　ショップライトのチラシ

写真21　ピックンペイのチラシ

上記２枚の写真は、実際に演習で用いたチラシである。ショップライト(Shoprite)、ピックンペイ（Pick n Pay)、いずれも南アフリカに本社を置く食品小売業者でンデベレの人びとが暮らす地域でも一般的なスーパーマーケットである。ただ、どの集落にもあるというものではなく、比較的大規模な集落や交通量の多いところにのみある。

スーパーマーケットのチラシを演習で取り上げた理由にはいくつかある。第一に、南アフリカには11の公用語があるが、一般的には英語が共通語として用いられており、ンデベレ地域のスーパーマーケットのチラシも英語で記述されている。国際文化専攻で力を入れている英語学習の教材として適していると考えたからである。第二に、日本社会でもスーパーマーケットは一般的であり、ンデベレの人びとの日々の暮らしと自分たちの暮らしを比較しやすいと思ったからである。掲載されている商品、価格、レイアウトなどで違うところ、あるいは似ているところを見つけ、考えるきっかけになることを期待した。第三に、リトルワールドが招聘したペインターの壁絵修復をサポート（後述）するにあたって、チラシを読み解いていく中で生まれた疑問を質問することが両者の交流をうながすこととなると考えたからである。

11人のゼミ生が手分けし、12枚の解説シートを制作した。掲載されている商品の値段を円換算するだけでなく、ンデベレの主婦でもある4人のペインターにインタビューした成果が盛り込まれている。「月に何回スーパーに買い物に行くのか？」、「主食のトウモロコシの粉5kgはどのくらいで消費するのか」といった質問をして、「スーパーマーケットに行くのは月に2回くらい。一度に結構たくさん買う」、「トウモロコシの粉5kgは、4人家族で1週間くらいの量」といった回答を引き出している。次の写真22の解説シートでは、南アフリカと日本の物価の比較として、インタビューとともにネット検索の成果から月収を比べ、相対的に南アフリカの物価が安いことを解説している。写真23では、ンデベレの集落にはパン屋が必ずあり、毎朝配送トラックが新鮮なパンを届けていて、近所の人たちが買いに行くことが説明されている。写真24ではチラシの「AIR TIME」に注目し、南アフリカの携帯電話事情を紹介している。ンデベレでは家庭への固定電話が普及する前に、個人に携帯電話が広まった。携帯電話は、通話時間をチャージする（お金で買う）システム、いわゆるプリペイド方式が一般的である。ここでは、スーパーの特定の商品を購入するとレシートに番号が記載され、携帯電話でその番号を入力するとチャージ金額がたまり、一定額に達すると通話料金として利用が可能になるということを解説している。チラシには読み飛ばしてしまいそうなくらい小さな文字で説明されており、隅々までチラシを吟味したことがよく分かる。それとともに、説明文だけでは理解できそうもない南アフリカのシステムを、ザネッレさんたちに英語でたずね、よく聞き出してくれている。写真25では、リトルワールドに展示されていた2013年のチラシを利用し、3年間の南アフリカ通貨ランドでの上昇率と、日本円に換算しての上昇率を計算して比較している。総じて南アフリカではインフレが進んでおり、庶民の生活を圧迫していることが分かる。

その他にも、お酒の広告から、南アフリカは18歳から飲酒できること、ワインとビールは安いがウィスキーは高いこと、ワインの紙パック売りが一般的なことを解説したシートもあった。この解説シートではさらに、チラシが配られた時期が8月の終わりで、9月1日が「スプリング・デー」として南アフリカ全土で春の到来を祝う日であることを説明し、その日にはブラ

写真22　解説シート事例 1

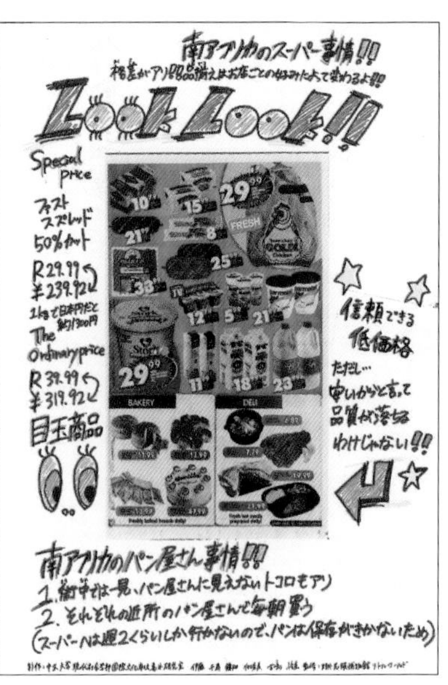

写真23　解説シート事例 2

写真24　解説シート事例 3

写真25　解説シート事例 4

イと呼ばれる戸外でのバーベキューをたくさんの人が楽しむ習慣があることを述べている。また、チラシ掲載の食材から料理のレシピを紹介したものや、洗剤や化粧品などのチラシ掲載写真から生活用品のパッケージデザインがポップだと指摘したもの、さらには、オランダ系移民文化の影響を受けたヴォーズと呼ばれるソーセージとイギリス系移民がもたらしたフィッシュアンドチップスを紹介し、食文化にヨーロッパ人による植民地時代の影響が強くあることなどを示したものなどもある。

スーパーマーケットのチラシの解説シートづくりでは、春学期の「文化人類学特講」で学んだことを踏まえ、ペインターへの聞き取り調査で事実確認を行いながら情報をさらに深く掘り下げており、学生たちが意欲的に制作にあたったことが感じられる。今回の制作では、もともとのチラシをスキャンしてA3判用紙の中央に印刷したものに手書きで情報を書き加えた。スーパーマーケットのポップ広告をイメージして、スーパーのチラシを解説している。サインペンでの記入を終えた後、筆者が誤字・脱字・誤り・誤解される表現等がないかをチェックし、学芸員の校正を受けた[21)]。その後、2枚一組にしてラミネート加工をし、書見台式展示台に取り付けるための穴を4か所にあけ、12枚の解説シートを完成させ、2016年12月17日にリトルワールド野外展示家屋「ンデベレの家」の両親の家の台所に展示した（写真26、27）。

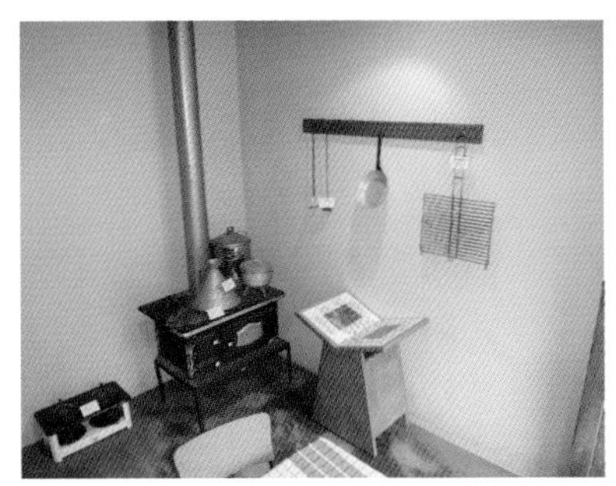
写真26　チラシの展示

写真27　書見台式めくり型解説シート

4.2 南アフリカ、ンデベレの文化紹介

「博物館実習」では、４年次履修生11名と３年次履修生16名、合計27名の学生が課題として「ンデベレの家」に展示する解説シートづくりに取り組んだ。「博物館実習」は通年科目であるため、履修生には春学期の段階から課題として解説シートづくりを説明した。南アフリカおよびンデベレの社会や暮らしぶりを来館者に紹介することを主眼とし、自分が興味ある事柄、来館者に興味を持ってもらえそうな事柄をテーマとすることが望ましいとした。６月、７月のリトルワールドでの館園実習では、展示家屋「ンデベレの家」をじっくり見学してテーマを考えるように指示するとともに、学内での実習の時間を用いて筆者が南アフリカやンデベレについてレクチャーを行った。本格的に制作に取り掛かったのは秋学期に入ってからである。学生たちの原稿をチェックし、事実誤認を修正し、読みやすく分かりやすい表現にするように指導するとともに、テーマに合わせて筆者が現地で撮影した写真を提供した。10月の館園実習時にはンデベレのペインターにインタビューをして（写真28)、事実をよく確認して解説シートの記述を考えるようにとも指示した。また、チラシの解説シートとは異なり、こちらの解説シートは全てデジタルデータとして制作することとしていた。

２つの学年とも11月下旬に５回目の館園実習をリトルワールドで実施し、制作した解説シートを学芸員の前で発表した（写真29)。発表にたどり着くまでの学生たちの努力は高く評価するが、この段階での制作物は、まだ展示として一般来館者に提供するまでの完成度はなかった。とくに学芸員から求められたのは、統一性と見やすさであった。リトルワールドでの館園実習は完了したが、解説シートを博物館に「納品」するために書き直しを続け、読みやすさ分かりやすさとともに、見やすさを追求した。統一感を醸し出すために、文字の大きさや書体を一緒にし、全解説シートにンデベレの壁絵をデザインした枠をつけるなどの作業を大学で行った。27名が制作した解説シートにはそれぞれの個性があり、最大限それを活かすように配慮しながらの指導であった。最終的なOKを学芸員から得て[22]、2016年12月17日、リトルワールド野外展示家屋「ンデベレの家」の両親の家の居間に書見台式めくり型解説シートを設置した（写真30､31)。

表3は、制作した解説シートのタイトル一覧である。展示家屋内に設置しためくる順番に番号を付けているが、複数枚の解説シートを制作した者もいるため、全部で43点の解説シートを展示している。はじめにンデベレ文化に関するもの、次に南アフリカ全体に関するもの、そして食文化に関わるものという配列となっている。学生それぞれの関心からテーマを選択したため、決して網羅的ではないが、一般来館者の興味をひくと思われるテーマが並んでいる。

いくつかの解説シートを紹介する。写真32は「南アフリカ紹介」というタイトルの解説シートである。人口、面積、地理的位置、国旗、通貨、気候といった一般的な情報であるが、誰かが担当し、紹介しなければならない内容である。コンパクトにまとめてくれている。写真33「ンデベレの伝統衣装」の担当者は一人で6枚もの解説シートを制作した。衣装をまとった姿

写真28　学生のインタビュー風景

写真29　解説シートの発表

写真30　解説シートの展示

写真31　書見台式めくり型解説シート

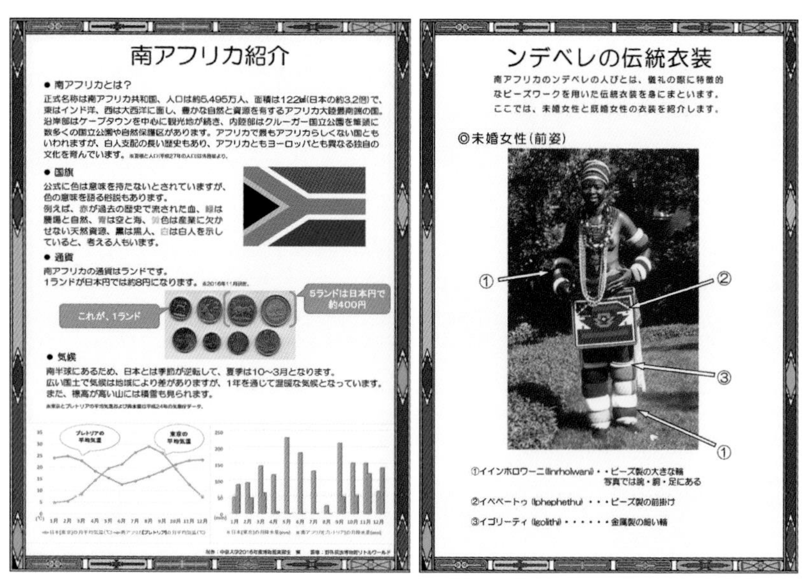

写真32　解説シート「南アフリカ紹介」　写真33　解説シート「ンデベレの伝統衣装」

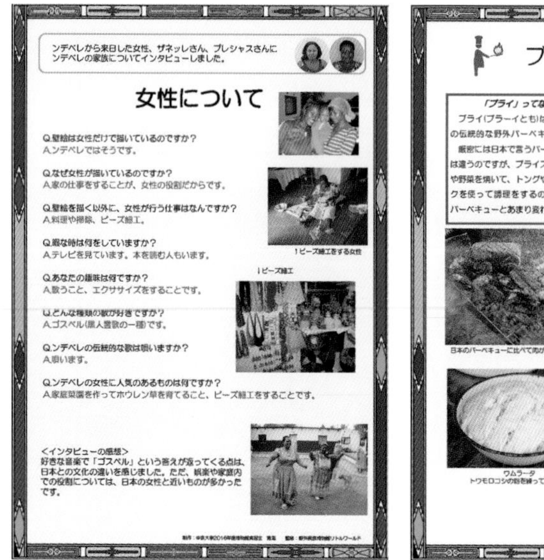

写真34　解説シート「女性について」

写真35　解説シート「ブライ」

表3　解説シートのタイトル一覧

No.	タイトル
1	ンデベレのデザイン
2	ンデベレ絵師紹介
3	ンデベレのことば
4	ンデベレの伝統衣装
5	未婚女性と既婚女性の伝統衣装の比較
6	ウンパーロ
7	ンデベレのエプロン
8	ンデベレの家屋と家族
9	ンデベレの家族について
10	女性について
11	男性について
12	子どもについて
13	南アフリカ紹介
14	南アフリカの通貨
15	南アフリカ共和国の歴史
16	南アフリカ共和国の公用語
17	南アフリカへの航路
18	南アフリカの鉄道
19	南アフリカ共和国の世界遺産
20	南アフリカのスポーツ
21	南アフリカのワイン文化
22	ルイボスティー
23	南アフリカの地酒　チブク
24	ンデベレの主食　ウムラータ
25	ポイキーコース
26	石炭レンジ
27	ブライ

の写真を大きく扱いながら、細かい装身具を見やすく分かりやすく説明するために、解説シートの枚数が増えた。ンデベレの衣装は、リトルワールドの「アフリカ地域センター」内で民族衣装の試着体験コーナーがあり、またマ

ネキンを用いた展示もしており、詳しい情報提供はとても重要である。写真34「女性について」、これを制作したグループは、ザネッレさんとプレシャスさんに質問をしてその回答を紹介するという形式をとっている。同様の形式で、他に「男性について」と「子どもについて」を制作し、3人で分担しながら、ンデベレの家族の姿を明らかにしようと試みている。写真35はチラシの解説シートでも説明していた「ブライ」を取り上げ、現地の写真を用いながら、南アフリカ風のバーベキューパーティーでは、肉を焼くのは男たちの仕事で、主食のウムラータやサラダを作るのは女たちの仕事とされているという分業制度のことなどを詳しく紹介している。

ここまで、博物館と大学の協働の実践として、大学での学びを用いた博物館への貢献を、スーパーマーケットのチラシの解説シートと南アフリカとンデベレの紹介の解説シートという2つの事例から紹介した。実際に来館者に提供するものを制作するということで、説明する内容の吟味、言葉づかい、表現の工夫、書式の統一など、学生たちに求めたものも多かったが、指導する側も多くの時間を割くこととなった。だが、制作したものが博物館の展示となることは学生のモチベーションを高くし、熱意をもって取り組んでくれていた。その甲斐もあって、リトルワールドで展示解説にたずさわっているボランティアガイドの方々からは、一般来館者の声として、文章が分かりやすい、カラフルで見やすい、めくる行為が楽しい、家屋以外の情報もあって解説範囲が広がって興味深いといった報告があった。博物館にとって来館者への情報発信は必須であり、社会教育施設としての生命線でもある。こうした点において、大学で学修した知識と技術を用いて、所期の目的を達成する成果を上げげた、博物館との良好な「協働」を成し得たカリキュラムであったと自負している。好評を得たこともあり、リトルワールドの野外展示家屋での文化紹介解説シート制作は、2017年度は「イタリア アルベロベッロ家」、2018年度は「トルコ イスタンブールの街」をテーマとして博物館実習の課題とした[23]。

5.　海外博物館研修

次に取り上げるのは、学部4専攻制導入にともない3年次に新設した「海外博物館研修」という科目である。世界各地で積み重ねられた文化実践を国際的な視点や歴史的な観点から幅広く比較、検討できる視野と実践力を養うという、国際文化専攻の学びの方針に基づき設計されている。1、2年次に学んだ知識と獲得した技能を用い、「博物館」という実践の場をフィールドとして試し、書物や講義からだけでは得ることのできない海外での「現場体験」から、異文化理解をさらに深めようという意図が込められている。教員としては、博物館との協働を考える中で、海外の事例を調査し、優れた展示手法や教育普及活動への取り組みを吸収し、今後の活動に反映させたいという考えもあった。

2017年度に初めて「海外博物館研修」を開講するにあたって、科目主担当である筆者が研修先として選定したのは南アフリカであった。筆者のこれまでの南アフリカでの経験をもとに、特色あるさまざまな博物館、美術館、文化施設等で研修を実施し、南アフリカにおける文化財や文化遺産への取り

表4　南アフリカでの海外博物館研修の日程

第1日目	8/8㈫	出国、香港経由ヨハネスブルグへ渡航
第2日目	8/9㈬	ヨハネスブルグ到着、市内および郊外の博物館見学
第3日目	8/10㈭	同市内、ウィットウォーターズランド大学の博物館見学
第4日目	8/11㈮	ディツォング国立文化歴史博物館、コドゥワナ文化村博物館見学
第5日目	8/12㈯	ンデベレ地域にて、教会、王宮等見学
第6日目	8/13㈰	ネルスプレイト近郊へ移動、シャンガーン文化村見学
第7日目	8/14㈪	クルーガー国立公園見学、ヨハネスブルグへの移動
第8日目	8/15㈫	ケープタウンへ移動、イズィーコ南アフリカ国立美術館、ボカープ地区等見学
第9日目	8/16㈬	ケープ半島の史跡、自然保護区等見学
第10日目	8/17㈭	ロベン島博物館、イズィーコ国立南アフリカ博物館等見学
第11日目	8/18㈮	ケープタウン発、ヨハネスブルグ経由香港へ渡航
第12日目	8/19㈯	香港経由名古屋へ渡航、帰国

組みを学び、日本の事例と比較することを目的とした。前年度のリトルワールドの壁絵修復で交流したンデベレのペインターを訪問するプログラムも組み込んだ。台風のためフライトがキャンセルとなり、出発日が1日遅れて研修日程が1日短くなるというアクシデントもあったが、2017年8月8日から19日までの9泊2機中泊12日という日程で、次のような博物館、文化施設を見学した。参加者は学生4名、教員3名であった。

本稿では、海外博物館研修の中から、本稿でこれまで取り上げてきたンデベレに関わる研修内容と大学での学びと深く関わる研修先について記述する。

まず、首都プレトリアにあるディツォング国立文化歴史博物館（DITSONG National Museum of Cultural History）について述べる。南アフリカの首都プレトリアと経済の中心地であるヨハネスブルグとは、高速道路や高速鉄道で結ばれ、1時間ほどで往来できる距離にある。2008年、プレトリア近郊にある8つの国立の博物館、美術館が統合され、南アフリカ・ディツォング博物館（DITSONG Museums of South Africa）となった。後述のケープタウンのIZIKO、日本の国立文化財機構などと同じように、経費削減と業務の効率化を狙ってのものである。この統合により、これまでアフリカン・ウィンドウ（African Window）として親しまれてきた博物館は、2010年にディツォング国立文化歴史博物館と改名した。

この博物館の正面入り口壁面にはンデベレの壁絵が展示されている。1997年の完成時の展示説明は、除幕者とスポンサーの名前、そして「ンデベレの壁絵」というタイトルが記載された金属プレートのみであった。20世紀、壁絵は「無名の、あるいはンデベレという民族のもの」という扱いで、その作者の名が問われることのない時代であった。21世紀となり、壁絵の描き手の氏名、略歴、顔写真を紹介する大きなパネルが展示されるように変更された。20世紀と21世紀のンデベレの壁絵への扱いの違い、これはンデベレだけでなく、世界中のいわゆる「民族芸術」と呼び習わされるアートに生じた変化である[24)]。1年次の「博物館概論」で説明した内容を、実際の壁絵を前にしてもう一度学生たちに説明した（写真36）。館内では、博物館のスタッフによる英語での詳しい展示解説を受けた。

プレトリアからおよそ1時間かけて、ンデベレの人びとが暮らす地域へと移動し、ンデベレ文化を紹介するコドゥワナ文化村博物館を訪ねた。この博物館施設は、筆者が1994年にンデベレの調査を始めた時から協力関係にあり、ペトロス・マヒャング（Mr. Petrus Mahlangu, Curator）学芸員も旧知の間柄である。展示の特徴は、ンデベレの家屋の形式の変遷を実際のサイズの再現した野外の展示家屋群にある。もっとも古い形式は18世紀の家屋で、当時は草を編み上げたものであったため壁絵が描けるような壁はなかったという説明から始まり、ヨーロッパ人との接触以降徐々に壁が立ち上がり、雨期の傷みから牛ふんと土を混ぜたもので壁を補修する必要性が生じ、壁絵が描かれるようになったという経緯が語られた。学生たちは、これまでの大学での学びやリトルワールドの展示家屋での経験から、関心をもって学芸員の話を聞き、メモを取っていた（写真38）。

写真36　壁絵の前でのレクチャー[25)]

写真37　コドゥワナ文化村博物館でのレクチャー

コドゥワナ文化村博物館からさらに1時間ほどかけて、ンデベレ地域の中心部へと移動した。壁絵のある家に泊まることができるエスター・マヒャング・ゲストハウス（Esther Mahlangu Guest House）に2泊した（写真38）。古い形式の円筒形のゲストハウスは、中も外もカラフルな幾何学模様の壁絵で彩られていた。オーナーのエスター・マヒャングさんは世界的に活躍するンデベレの壁絵の第一人者で、ゲストハウスの壁絵も彼女が描いたものである。ここからほど近いところに、リトルワールドの壁絵の修復に来日していたレアさんの住まいがあり、すぐに訪ね、再会を祝った。

この町の名前はマポチといい、かつてのンデベレの王の名前に由来している。ンデベレの王宮がある町でもあり、ンデベレの壁絵のある家が今でも多数あり、ンデベレの華やかな装飾文化の中心地のひとつとなっている。２日目には、レアさんの息子のゴドフリー（Mr. Godfrey Thubane）さんや孫のムトコズィスィ（Mr. Mthokozisi Mahlangu）さんの案内で、町の中を歩き、壁絵のある教会や議事堂（写真39）や王宮の中を見学した。ペインターの一人、ローズさんのお宅も訪問した。午後には車でスーパーマーケットに買い出しに行き（写真40）、１年前の解説シートづくりのチラシで見た商品を探しながら、ブライ・パーティーの準備をした。夕刻には、プレシャスさんとザネッレさんもレアさんの家に集まった。ンデベレでは、どこかの家でブライをしていると、友人や近所の人たちが集まってくる。家の主に挨拶をしてパーティーに加わり、食事やビールを一緒に楽しむ。男たちは世代ごとにグループ化される。家の主と一緒に飲んでいるのは同年代の老人たち、その息子の周りには父親世代が集まり歓談し、主の孫の世代はイソカナと呼ばれる若者で、パーティーの肉を焼く役目を担う。女たちは台所で主食となるウムラータづくり、サラダづくりにたずさわる。研修に参加した女子たちは、レアさんたちの指導のもと、まな板を使わないンデベレ流の野菜の切り方でサラダづくりを学んでいた（写真41）。

こうしてペインターの自宅を訪ねることで、ンデベレの人たちの日常生活の様子を学生たちも実感することができた。どのお宅にも立派な応接セットやテレビがあり、日本の暮らしと変わりがないことに学生たちは驚いていた。しかし、こうした電化製品をローンで購入し、支払いが滞ってしまう人もたくさんいることをレアさんたちが説明していた。筆者はこの数年、レアさんのお宅に寄宿してンデベレでの調査を行っている。電気も水道もシャワーもあるような中でのフィールドワークは、漠然とインフラが整備されていないアフリカをイメージしていた学生たちからすると、ある種の期待外れであったかもしれない。アフリカ研究者仲間からは、南アフリカはアフリカではないとも言われている。

写真38　宿泊したゲストハウス

写真39　ンデベレの議事堂前にて[26]

写真40　スーパーマーケットの精肉コーナー[27]

写真41　まな板を使わない調理

シャンガーン文化村（Shangana Cultural Village）を訪問した。シャンガーンは、モザンビークから南アフリカにかけて居住する民族で、南アフリカではツォンガ（Tsonga）と呼ばれている。現在世界各地にカルチュラル・ヴィレッジと称する施設が多数ある。このシャンガーン文化村も、ンデベレのコドゥワナ文化村博物館もそれらのひとつである。それぞれの地域の固有の文化を紹介する観光施設という位置づけのものから、博物館としての機能を充実させた施設まで、その在り方は多様となっている。このシャンガーン文化村は、世界最大級の自然保護区であるクルーガー国立公園のそばに立地し、数多くの観光客が訪問することもあり、シャンガーン料理のランチ、シャンガーンの民族衣装をまとったスタッフの舞踊披露など、来館者を楽しませる工夫が随所に見られるカルチュラル・ヴィレッジであった。シャンガーンの住居を再現した集落展示では、村の長老や占い師などといった役を演じるスタッフが、演技力を駆使してシャンガーンの文化を紹介してくれた。

インフラが整備された南アフリカには、世界中から観光客がやってくる。2017年には1,028万人[28)]、2018年には1,047万人[29)]もの旅行者が南アフリカを訪れている。大きな産業がない地方にとって観光による収入は魅力的であり、高い失業率の中で雇用の確保にも役立っている。カルチュラル・ヴィレッジはまた、こうした外部者のためだけのものでなく、自分たちの文化を維持し継承していく場として内部者のためのものともなっている。しかし、演出しすぎた展示手法は、観光客が期待するエキゾチシズムに応えるために採用されているのであろうが、気をつけないと今でも彼らがこのような暮らしを維持しているかのような誤解を生みかねない。シャンガーン文化村は、観光に偏向した展示の危惧について学生たちが学ぶ良い教材となった。

ケープタウンでは、市内中心部にあるボカープ（Bo-Kaap）地区を見学した。通り沿いにカラフルに壁を塗った家が軒を連ねている（写真42）。それぞれの家の壁は単色であるが一軒一軒違った色に塗り分けられており、街並みとしてカラフルになっている点がンデベレのカラフルな壁絵とは異なっている。この地区はかつてマレー・クォーターと呼ばれていた。オランダ東インド会社によって奴隷として、あるいは政治的活動により国外追放者として連れてこられた、マレー語を話す東南アジアの人びとの子孫が多く暮らしているからである。その後、他の地域からの移民も流入し、多様な民族が暮らす地区となっている。またここには南アフリカで最も古いモスクがあり、ムスリム文化の中心地にもなっている。研修に参加した４名の学生は、１年次末に「海外短期研修」としてマレーシアに滞在しており、マレー文化にアフリカで接したことに親近感を持っていた。それとともに、美しい街並みの背景には、大航海時代の奴隷貿易や植民地主義への抵抗運動というヨーロッパとアジアの間にある負の歴史があることに気づかされていた。

ケープタウンのイズィーコ南アフリカ国立美術館（IZIKO South African National Gallery）には、南アフリカの現代作家の展示室、アフリカ各地の民族の造形物の展示室などとともに、ンデベレのアートを紹介する展示室があった。エスター・マヒャングがペイントしたハイヒールがひと際目立っていた（写真43）。もともと壁絵の補修という女性の家事から生じたンデベレの壁絵であるが、1980年代に世界的にそのアート性を認められることで壁から離れ、車のボディや飛行機の尾翼にまでデザインが描かれるようになり、壁絵の描画は仕事となった。ンデベレのいわゆる「伝統」的な暮らしとは大きくかけ離れた舞踏会用のハイヒールに描かれたデザインが、美術館でンデベレのアートとして展示されていることに、この美術館のあるいは世界のンデベレ・デザインを見つめる目の変化を見て取ることができると、学生たちには解説した。ンデベレの居住地から遠く離れたケープタウンでンデベレの壁絵が大きく取り上げられていることも、学生たちには驚きであったようである。

写真42　ボカープ地区

写真43　ンデベレ・デザインのハイヒール

他にも数多くの博物館や美術館、文化施設や文化財関連施設を訪れたが、全てに言及する紙幅の余裕はない。研修に参加した学生たちは、大学で学んだ知識を思い起こしながら、アフリカの大地でさまざまな見聞を深めてくれた。日々の学びには、毎日1,000字のフィールドノートをつけることを課した。帰国後は研修で学んだことをパワーポイントで発表してもらうとともに、現代社会学部ホームページ上にある「つながりプロジェクト」のひとつとして「海外博物館研修2017＠南アフリカ」でも報告する機会を設けた。また、入学生用のパンフレットに、海外博物館研修の様子を紹介する文章を載せた者もいる。

海外博物館研修にあたっては、文化人類学をベースとする国際文化専攻の学生に相応しい多種多様な施設を見学場所に選定したが、実質9日間の滞在日数は、南アフリカの博物館事情をあまねく知るには短かすぎた。この先は、各自の興味にしたがって深く掘り下げてもらいたいと思う。日本人のアフリカ研究者の間には「アフリカの水を飲んだ者はアフリカに帰る」という格言がある。「ナイルの水を飲んだ者はナイルに戻ってくる」ということわざのもじりであろうが、筆者も21歳でアフリカを初めて訪れてから、すでに32回アフリカに帰っている。

6. おわりに

以上、2016年度および2017年度に実施した、ンデベレ文化を教材とした文化人類学および博物館学における大学教育での学びと、ンデベレ文化を展示する博物館との協働の実践例を説明した。すでにそれぞれの区切りごとに考えをまとめているが、最後に博物館との協働を進めるにあたっての可能性や、大学の担うべき役割や持つべき姿勢について論じたい。

大学と博物館を比較し、収蔵資料、展示空間という点において、大学が博物館に貢献できるところは少ない。博物館には優れた資料が豊富にあり、展示装置や展示空間も充実しており、研究成果を提供した展示は、貢献と言うにはおこがましく、むしろそうした資料と装置と空間を利用させてもらっていると言えるだろう。ただ、博物館は限られた数の学芸員で幅広い領域の展示をカバーしなくてはならないところが多く、大学の研究者の専門領域がそれを補えるのであれば、大学と博物館の「協働」が可能である。

博物館のマンパワーの不足は、深刻なものがある。資金不足により雇用ができず、必要な業務が滞っているといった博物館からの報告には、枚挙にいとまがない。大学生のボランティア活動やインターンシップは、博物館にとって魅力的であろうか。意識の高い学生の参加は博物館にとっても有益であろうが、単位のためや履歴書の実績作りのために参加する学生は受け入れ難いであろう。大学としても、単なる人手として扱われるのでは躊躇する。博物館で働き学ぶことで、学生本人のキャリア形成に結びつくような職務を究がってもらいたいと希望するであろう。単にマンパワーを送り込むことは貢献ではないだろうが、双方互いに期待するところがあるのであれば、ここにも大学と博物館の「協働」の可能性がある。

今、博物館資料のデジタル・アーカイブ化が課題となっている。ここには２つの課題がある。ひとつは資金およびマンパワーの不足が原因で、収蔵資料のデジタル化が進まない博物館があるということである。博物館が貴重な資料を収蔵していても、その情報を発信しなければ、価値は伝わらない。情報は数が多くなるほど価値を増す。研究として資料をデジタル化する資金を獲得すること、マンパワーとして学生の時間と能力を提供すること、研究者として大学として協力できそうなことであろう。もうひとつはこうしたデジタル・アーカイブが単体で存在し、連結が進まないことである。情報はそれに結びつく情報が増えるほどさらに価値を増し、それをもとにした研究の発展の可能性が拡大する。大学の研究者として、関連する諸分野の資料を収蔵するいくつもの博物館に協力してデジタル・アーカイブ化を進め、そのデータを一緒に検索できるシステムを構築することは、自らの研究の進展を図るとともに、博物館の利用価値を飛躍的に高めることにもつながる。研究者個人ではなく、大学が組織として博物館間のハブ的役割を務めることができれば、大学と博物館の「協働」が可能である。

現在一部の大学と博物館が、メンバーシップ契約あるいはパートナーシップ契約を結ぶことが増えてきている。こうした契約により、学生たちは無料で博物館を見学でき、博物館には安定した収入が入ることとなる。また、学生時代に博物館を利用することが日常化すれば、卒業後も博物館への来館動機が高まることであろう。博物館の魅力を知ってもらうためには、まず一度来てもらい、観覧してもらうことが重要である。パートナーシップ契約等は、短期的にではなく長期的な考えをもって捉えて、大学と博物館の「協働」の一環と考えることができると思う。

大学の学びは、大学の中での講義だけで完結するものではなくなっている。時代の要請により、社会から大学に求められるものは変化している。また学生から大学に求められるものもまた変化している。大学はその変化に対応していかなければならない。求められているものは、実社会への適応力、即戦力と言われている。大学として、就職のための予備校に自らを堕すことは厳に慎むべきであるが、こうした時代の要請に応える努力も必要であろう。中京大学での大学と博物館の「協働」の模索は端緒についたばかりであるが、時代が求めるものへの解がここにもあると考えている。

謝辞

本研究は、2020年度中京大学内外研究員制度（国内研究員）の助成を受けたものである。またこの国内研究員期間中、大学共同利用機関人間文化研究機構国立民族学博物館人類文明史研究部に特別客員教授として所属し、本研究をとりまとめることができた。なお本研究の一部は、文化科学研究所研究プロジェクト「博物館研究プロジェクト」として中京大学から助成を受けたものであり、また JSPS 科研費 JP15H01910（代表：古田憲司、研究課題名：アフリカにおける文化遺産の継承と集団のアイデンティティ形成に関する人類学的研究）、および JP15H01780（代表：須藤健一、研究課題名：ネットワーク型博物館学の創成）の助成を受けたものである。

注

1）社会学専攻、コミュニティ学専攻、社会福祉学専攻、国際文化専攻の 4 専攻。
2）環境とまちづくり、共生と福祉、心のケアとサポート、教育・家族とライフコース、グローバル化と文化、メディア表現の 6 つの研究フィールド。
3）掲載した写真はとくに断り書きがない限り、筆者が撮影したものである。リトルワールドが撮影した写真には（LW 提供）と記し、その他の場合には注記にて記す。
4）亀井哲也 1995a、1996 参照。
5）宮里孝生 2018a 参照。
6）ンデベレの概要については、参考文献にあげた筆者の論稿に述べている。とくに亀井哲也 1995b、1995d 参照。
7）ンデベレの壁絵文化については、亀井哲也 1995c、2001a、2001c、2008a、2013 参照。
8）ンデベレの毛布、ビーズワークについては、亀井哲也 2001c、2002 参照。
9）ンデベレの歴史については、亀井哲也 1999、2004 参照。
10）南アフリカの歴史については、亀井哲也 1999、2004 参照。
11）ンデベレの親族組織・社会組織については、亀井哲也 2003 参照。
12）ンデベレの男子成人儀礼については、Kamei 1998、亀井哲也 2003 参照。
13）ンデベレの女子成人儀礼については、亀井哲也 2020 参照。
14）ンデベレの婚姻儀礼については、亀井哲也 2016b、2020 参照。
15）ンデベレの「伝統」意識については、亀井哲也 2001b、2005、2008b、Kamei 2008 参照。

16）宮里孝生 2018b 参照。

17）本書斉藤論文参照。

18）筆者のゼミ生で当時2年生の下野嘉子さん撮影。活動の記録係として活躍してくれた。

19）亀井哲也 2017、2018参照。

20）2016年度の入館者数は509,460人。野外民族博物館リトルワールド2018参照。

21）解説シートの内容に関する責任は、制作者であるゼミ担当教員の筆者にある。

22）同上。

23）2016年度の「南アフリカ　ンデベレの家」の解説シート制作を実績として、2017年度の「イタリア　アルベロベッロ家」の解説シート制作時には、「野外博物館の家屋展示におけるワークシート書見台の可能性の探究」という研究課題のもと、全国大学博物館学講座協議会西日本部会の平成29年度研究助成を受けた。

24）亀井哲也 2016a 参照。

25）海外博物館研究の引率として同行した斉藤尚文教授撮影。

26）同上。

27）同上。

28）南アフリカ観光局 2018参照。

29）南アフリカ観光局 2019参照。

参考文献

亀井哲也

1995a 「収集調査報告；南アフリカ」『リトルワールド年報』第17号　pp. 7–16　野外民族博物館リトルワールド

1995b 「フィールドノート；壁絵のある家に住む人々：南アフリカ・ンデベレ族」『季刊リトルワールド』第55号　pp. 6–11　野外民族博物館リトルワールド

1995c 「博物館の目；テーマ展「南ア・ンデベレ族のデザイン」」『季刊リトルワールド』第55号　pp. 12–15　野外民族博物館リトルワールド

1995d 「博物館の目；南アフリカ・ンデベレ族の暮らし」『季刊リトルワールド』第56号　pp. 12–15　野外民族博物館リトルワールド

1996 「野外展示；「南アフリカ　ンデベレ族の家」」『リトルワールド年報』第18号　pp. 38–43　野外民族博物館リトルワールド

1999 「フィールドノート；ニャベラ記念日とンズンザの歴史」『季刊リトルワールド』第70号　pp. 11–16　野外民族博物館リトルワールド

2001a 「家事から仕事へ：ンデベレ壁絵の変遷」吉田憲司（編）『科学研究費補助金研究成果報告書　「現代アフリカにおける文化運動とエスニシティの人類学的研究」』 pp. 137–147　国立民族学博物館

2001b 「パンツは伝統！　伝統はパンツ？」『季刊リトルワールド』第78号　pp. 3–4

野外民族博物館リトルワールド
2001c 「ンデベレの装飾と博物館」中牧弘允(編)『アートと民族文化の表象(国立民族学博物館研究報告別冊)』pp. 181–201 国立民族学博物館
2002 「博物館の目；世界のビーズワーク」『季刊リトルワールド』第82号 pp. 11–14 野外民族博物館リトルワールド
2003 「伝統と近代のずれ：ンズンザ・ンデベレの領域」『リトルワールド研究報告』第19号 pp. 23–46 野外民族博物館リトルワールド
2004 「「建国」と壁絵：南アフリカ共和国ンデベレの事例から」端信行(編)『民族の二〇世紀』pp. 161–184 ドメス出版
2005 「文化遺産の創造と継承—ンデベレの壁絵と博物館」吉田憲司(編)『民博通信』No. 108 p. 14 国立民族学博物館
2008a 「博物館の住まい展示と民族藝術：南アフリカ ンデベレの事例から」『民族藝術』24 pp. 121–127 民族藝術学会
2008b 「南アフリカにおける地名再考運動—ンデベレ社会の事例を中心に—」中林伸浩(編)『東部および南部アフリカにおける自由化とナショナリズムの波及(科学研究費補助金研究成果報告書)』pp. 7–20
2013 「女性が描くカラフルな家」野外民族博物館リトルワールド(監修)『世界の住まい大図鑑 地形・気候・文化がわかる』pp. 38–39 PHP研究所
2016a 「アフリカの博物館：南アフリカの野外博物館を中心に」稲村哲也(編)『博物館展示論(放送大学教材)』pp. 270–287 放送大学教育振興会；新訂版
2016b 「せびられる老女(コラム2)」田川玄・慶田勝彦・花渕馨也(編)『アフリカの老人—老いの制度と力をめぐる民族誌—』pp. 153–158 九州大学出版会
2017 「第143回研究例会報告」『民族藝術学会会報』第90号 p. 7 民族藝術学会
2018 「ンデベレ壁絵文化の海外発信」『民族藝術』34 pp. 163–170 民族藝術学会
2020 「ンデベレの娘たち：南アフリカの成女儀礼と恋愛、そして…」和崎春日(編)『響き合うフィールド、躍動する世界』pp. 552–569 刀水書房
ホブズボウム，エリック、テレンス・レンジャー(編著) 1992 『創られた伝統(文化人類学叢書)』紀伊國屋書店
南アフリカ観光局 2018 「NEWS 2018年3月6日 南アフリカ観光局 2017年12月の旅行者数を発表」http://south-africa.jp/news/3156/ (2020年9月17日最終閲覧)
南アフリカ観光局 2019 「NEWS 2019年3月7日 南アフリカ観光局 2018年12月の旅行者数を発表」http://south-africa.jp/news/3580/ (2020年9月17日最終閲覧)
宮里孝生
2018a 「収集調査報告；南アフリカ」『リトルワールド年報』第27号 pp. 3–4 野外民族博物館リトルワールド

2018b 「野外展示；「南アフリカ ンデベレの家」壁面補修」『リトルワールド年報』第27号　pp. 23–25　野外民族博物館リトルワールド

野外民族博物館リトルワールド　2018 「彙報　利用状況」『リトルワールド年報』第27号 p. 65

Kamei, Tetsuya

1998, "Ingoma: Ndebele boy's initiation", in Kazuaki Kurita (ed.), *Ethnological Studies in Southern Africa: The Nyakyusa (Tanzania), Shona (Zimbabwe), Ndebele (South Africa) and Tswana (South Africa)*, (Rikkyo University Centre for Asian Studies, Occasional Papers 7, 1998), 46–59.

2008 "Ndebele Decorative Cultures and their Ethnic Identity", Yoshida, Kenji & John Mack (eds.) *Preserving the Cultural Heritage of Africa: Crisis or Renaissance?*, pp. 140–151, UK; James Currey & SA; UNISA.

第3章

大学教育と博物館

——タイにおける海外博物館研修を事例として——

岡部真由美

1. はじめに——研究の背景と目的

本稿の目的は、タイにおける海外博物館研修を事例として、学部生向けの文化人類学教育において博物館がどのような可能性をもつのかを検討することである。

はじめに、本稿が事例とする、「タイにおける海外博物館研修」について簡単に説明しておこう。海外博物館研修は、筆者が勤務する中京大学現代社会学部において、国際文化専攻3年次の選択必修科目として配置されている科目である。この科目は、国際文化専攻の専任教員3名の文化人類学者（亀井、斉藤、岡部）によって、とりわけ博物館学をも専門とする亀井を中心として運営されている。

科目が開講されて2年目にあたる2018年度は、筆者が研修のコーディネートの中心的役割を担うこととなった。渡航先は、年度によって異なるものの、担当教員がこれまでの研究活動をとおしてネットワークを構築してきた国・地域から選定することは、当初から一貫している。筆者はこれまで、タイにおける宗教と世俗の関係をテーマとした研究に取り組んできた経緯から、2018年度の渡航先は、迷うことなくタイに決めた。

海外博物館研修の目的は、授業シラバスのなかで次のように記されている。すなわち、「海外博物館研修は、１、2年次に学んだ知識と獲得した技能をフィールドワークとして実践の場で試すものと位置づけることができます。書物や講義からだけでは得ることのできない海外での「現場体験」から、異文化理解をさらに深めていきます」。ここに明示されているように、海外博物館研修では、博物館は現場＝フィールドのひとつとして位置づけられ、また研修のプロセス全体がフィールドワークとして包括的に捉えられている。その前提には、海外博物館研修が、狭義の博物館教育にとどまらず、博物館を切り口とした文化人類学のフィールドワーク教育の一実践である、という認識がある。

このことはまた、海外博物館研修の具体的な内容や参加者をも規定している。研修の内容は、博物館の訪問や学芸員との意見交換に限定されることはない。さまざまな訪問先を含み込むことが可能となっている。また、参加者は、必ずしも博物館についての専門的な知識や技能を十分に有している必要はなく、さまざまな動機や関心をもつ学生に開かれている。学芸員資格はおろか、大学で専門的に博物館教育を受けた経験も持たない筆者が、研修のコーディネート任務を引き受けることになったのも、海外博物館研修という科目のこうした性質ゆえのことであった。

2018年度の研修では、博物館を称する複数の施設にくわえて、仏教寺院、アミューズメントパーク、遺跡、観光村など多種多様な施設を訪問した。さまざまな訪問先を選定したのは、タイでは、法的な定義に従って博物館と分類される施設のほかにも、博物館を名乗る施設があることや、博物館に類似した機能をもつ施設が数多く存在していることなどが、その理由である。広義の「博物館」を訪問することで、研修に参加する学生たちに博物館とは何かを考えてもらうことを意図したからである。

一般的に、博物館とは、展示や解説をとおして伝達されるメッセージを来訪者が受け取り、考えを深め、新たな発見を得ることができる教育・学習施設である。そのメッセージは、博物館に埋め込まれた意味やそれを取り巻くコンテクストのなかで構成される。ところが、当該社会についてほとんど何も知らない状態で博物館を訪問するとき、来訪者たちの反応は、博物館側の意図やそれを取り込んだ教育デザインからずれていく。

では、博物館という現場で「突然の来訪者」が示す反応には、いかなる意味があるのだろうか。本稿は、2018年度にタイで実施した海外博物館研修において学生たちが示した反応に着目し、なかでも博物館側の意図やそれを取り込んだ教育デザインからはみ出す反応にいかなる意味があるのかを探るものである。博物館側の意図やそれを取り込んだ教育デザインと学生とのあいだのギャップを、あらかじめ最小化する手立てがないわけではないし、ギャップの発生を教育デザインの「失敗」と解釈する立場もありうる。だが本稿は、ギャップに満ちた海外博物館研修の教育上の意義を肯定的に捉える立場に立つ。そのうえで、学部生向けの文化人類学教育において博物館がもちうる可能性について検討する。

以下、第2節では、タイにおける海外博物館研修がいかなる教育デザインであったのかを述べる。同科目の位置づけと学生たちの参加動機をふまえ、具体的な研修の内容を紹介する。第3節と第4節では、学生たちが研修で得た「異文化体験」を具体的に提示する。学生たちがさまざまな訪問先で見せた反応のなかから、筆者の予測の範囲内の反応（第3節）と予測の範囲外の反応（第4節）を紹介する。さらに、第5節では、先行研究を参照しつつ、「突然の来訪者」たる学生たちが示した反応がもつ意味を考察する。

2.　博物館を用いた教育をデザインする

2.1　海外博物館研修の位置づけ

国際文化専攻では、社会学系の学部のなかで、文化人類学にもとづく異文化理解を目指した教育を実践している。市民活動、博物館、フィールドワークの3つの柱のもと、専攻の専任教員3名が各々担当する講義・演習・実習等の科目をとおして、学生が国内外で「現場体験」を得る機会を豊富に提供してきた。このうち、海外に渡航するのは、1年次の海外短期研修と3年次の海外博物館研修の2科目である。

海外短期研修は専攻の必修科目で、英語学習と異文化体験を目的として、約2週間渡航する[1)]。2015年度〜2018年度入学生はマレーシアに渡航した[2)]。研修終了後、学生には一人ひとりフィールドノート[3)]を提出してもらう。フィールドノートには、英語も日本語も通じないホームステイ先でボディランゲージをつかって必死にコミュニケーションを取ったこと、慣れないながらも素手でカレーを食べたこと、虫と格闘しながら水浴びしたことなどが苦労の経験として綴られている。同時に、現地の人びとの優しさに触れて心打たれたことや、日常生活に深く埋め込まれた宗教のあり方に驚かされたことなども、印象深い経験として記録される。これらのことは、グローバリゼーションが進行し、これほど大量に海外についての情報がインターネット空間に溢れかえっていたとしても、個々の学生が身をもって体験する異文化には、知らず知らずのうちに「当たり前」になっていた価値観を揺さぶるだけの潜在力があることを表している。たとえそれが、専攻の必修科目として、ある程度お膳立てされた「異文化体験」であったとしても、である。国際文化専攻で、海外短期研修を低年次の必修科目として配置するのは、こうした異文化体験がその後の学習の動機づけに大きな効果を発揮すると期待するためである。

一方で、3年次に配当されている海外博物館研修は、学生たちにとっては、2年次のさまざまな学びを経た後に、あらためて海外で異文化体験を得る機会である。ただし、海外短期研修とは異なり、選択必修科目である。また、年度によって渡航先が異なるため、渡航先の発表は学生たちにとってはスリリングだ。最終的に、履修するかしないかは、学生各人の判断に委ねられている。

2.2 海外博物館研修に参加する学生たち

学生の興味や関心は十人十色であるが、海外博物館研修を履修するか否かの重要な判断材料のひとつは、渡航先の国・地域である。どのような渡航先の国・地域が魅力的に映るのか、その理由もさまざまである。たとえば、家族や友人らと訪問する可能性が低い国・地域は、「研修だからこそ行くことができる」という理由で、魅力的に映る。つまり、珍しいことや難しいことが、参加の誘発要因となる。他方で、逆説的ではあるが、家族や友人らと訪問する可能性の高い国・地域もまた、「研修で行くことができるなら行きたい」という理由で、魅力的に映る。つまり、人気があることや「ハズレがない」と感じられることもまた、参加の誘発要因となる。ただしその場合、渡航にかかるコスト（時間、距離、費用など）が大きい方が、より異国への憧憬をかきたてる。

こうした観点からすると、タイは、学生たちにとってあまり魅力的な渡航先とはいえない。なぜなら、「わざわざ研修で行かなくても良い」と判断されかねないからである。2018年度の渡航先がタイであることを発表したとき、筆者が接触した少なからぬ学生たちは、「また東南アジアなのか」「タイにはすでに行ったことがある」「研修ではなく遊びで行きたい」といった意見を述べた。2017年度に南アフリカの研修に参加した学生たちでさえも、「タイだったら参加しなかったかも」と言い、タイには仲良しグループで遊びに行っていた。

学生たちがこうした反応を示すのも無理はない。タイは、近年、日本人の訪問者数が多い国の上位５位に入っている［日本政府観光局資料］。また、その目的は多くが観光だ。加えて、渡航にかかる費用も比較的安価である。長期休暇などを利用して、友人同士で誘い合ってタイに遊びに出かける学生も少なくない。筆者は中京大学に着任して以来、ほぼ毎年、複数の学生からタイの食べ物、祭り、観光スポットなどの情報について質問を受けてきた。加えて、先述のように、専攻の学生全員が１年次に、タイの隣国マレーシアへ渡航した経験を有している。学生たちの視点には、タイもマレーシアも「同じ東南アジア」に映ってしまう。

タイを消費や娯楽の対象として捉える学生たちの認識に揺さぶりをかけるには、研修前の授業が絶好の機会となる。ところが、残念なことに、専攻には海外博物館研修の事前学習のための科目は配置されていない。そのため、学生たちが、主に２年次に履修する専門科目をとおして、徐々にその認識を崩していってくれるよう願うことになる。筆者は、当時「宗教人類学特講」という名称の講義科目のなかで、しばしばタイの仏教や精霊信仰に関するトピックを取り上げていたが、2018年度の研修に参加した学生たちが同科目を受講したのは、３年次春学期で、研修の履修登録を済ませた後のことだった。したがって、２年次に「授業でタイに興味関心を持つ」ことが研修参加の動機にはなりえなかった。

こうした事情から、筆者にとって懸案事項だったのは、海外博物館研修の渡航先として、タイは学生への訴求力が弱いということだった。タイで研修を実施しても学生が集まらないのではないかと案じていた。しかし、最終的には、研修の履修者数は8名（男子学生6名、女子学生2名）だった。数としては、2017年度～2019年度の3年間で最も多かった計算になる（2017年度は4名、2019年度は3名）。

では、なぜ比較的多数の学生が履修したのか。まず一つ目に、学生たちが海外の博物館に行ってみたい、という純粋な好奇心を持っていたことが挙げられる。8名の学生の内訳は、筆者のゼミに所属する男子学生1名を除き、全員が亀井のゼミに所属する学生だった。彼らは、2年次春学期にゼミに配属されてから研修に参加するまでの約1年半のあいだ、ゼミを中心とした学びのなかで、博物館や物質文化に対する関心を十分に涵養されていた。3年次夏休みの貴重な2週間を、部活動・サークル活動、アルバイト、インターンシップではなく、研修に充てることができる学生たちは総じて学習意欲が高い。また二つ目に、渡航費用が手頃だったことが挙げられる。タイの研修にかかる費用は、2017年度の南アフリカや2019年度のイタリアの研修の半額程度に抑えられていた。南アフリカの研修もイタリアの研修も、渡航費用の問題で参加したくとも参加できないという声を、複数の学生から聞いた。専攻の選択必修科目であることを考慮して、経済的な理由で履修を断念せざるを得ない学生が生まれてしまう現状には、改善の余地があるだろう。

2.3 研修の内容とそのねらい

筆者にとって、より大きな懸案事項だったのは、タイでどのような内容の研修をデザインするかということであった。というのも、筆者がこれまでにタイ国内で訪問したことのある博物館や美術館の数は少数にとどまっていたうえ、自分自身の研究テーマと博物館とを十分に結びつけてこなかったためである。しかし、2015年以来、文化科学研究所の博物館研究グループの一員として、国内外の博物館での調査や市民講座での講義の機会を得られたことは、自分自身の研究テーマと博物館との接点を見出す契機ともなった[4)]。それは、大まかに言えば、タイの博物館が、仏教ないし寺院と関わる物質文化の伝統に根ざしているという際立った特徴を有していることであり、より踏み込んで言えば、タイの博物館が、現代社会における仏教的なるもののあり方を考えるうえできわめて重要な場所・空間だということでもある。

そこで筆者は、自分自身のこれまでの研究で主たる調査地としてきたタイ北部地域を中心にして、さまざまな種類の博物館を訪問することとした。その目的は、第一にタイの博物館の多様性を知り、第二にその背景にある仏教やそれと不可分な生活文化を学ぶ、ということである。以下は、研修の日程と訪問先をまとめたものである（表1）。

表1　2018年度の海外博物館研修プログラムの日程と主な訪問先

	日程	場所	訪問先の種類	訪問先の名称
1	8月9日	移動	—	—
2	8月10日	チェンマイ市内	地方博物館 仏教寺院	・チェンマイ市立博物館（文化芸術センター、歴史センター、ラーンナー民俗生活博物館） ・プラタート・ドーイステープ寺
3	8月11日	チェンマイ市内	国立博物館 生活空間	・チェンマイ国立博物館 ・山岳民族博物館（中止） ・ワローロット市場
4	8月12日	チェンマイ郊外 ドーイサケット	文化学習センター 寺院博物館 コミュニティ博物館	・タイ・ルー土着の知恵学習センター「バーン・バイ・ブン」 ・ローンメン寺 ・ゲートガーラーム寺
5	8月13日	チェンマイ農村 ウィエンヘーン	民族観光村 仏教寺院	・「バーン・トン・ルアン」 ・X仏法センター
6	8月14日	チェンマイ農村 ウィエンヘーン	仏教寺院 生活空間	・X仏法センター ・メーペム村
7	8月15日	チェンマイ農村 ウィエンヘーン	生活空間 仏教寺院	・ピアンルアン市場 ・ファーウィアンイン寺 ・プラタート・セーンハイ寺
8	8月16日	チェンマイ市内	大学博物館	・チェンマイ大学伝統家屋博物館

9	8月17日	バンコク旧市街 プラナコーン	国立博物館	・バンコク国立博物館 ・王宮
10	8月18日	サムットプラカーン	大学博物館 アミューズメント パーク	・チュラーロンコン大学赤十字博物館 ・「ムアン・ボーラーン」
11	8月19日	アユタヤー	世界遺産	・アユッタヤー遺跡
12	8月20日	バンコク旧市街 トンブリー	人類学研究センター 大学博物館 生活空間	・シリントーン人類学センター ・シリラート病院法医学博物館 ・チャイナタウン
13	8月21日	移動	—	—

注1）表中にあるワット（*wat*）はタイ語で寺院を、バーン（*ban*）はタイ語で村を意味する。
注2）3日目（8月11日）に訪問を予定していた、山岳民族博物館は、直前に先方の都合により訪問がキャンセルされた。
出典：筆者作成

表1からも分かるように、訪問先には、できるだけ多様な主体が設置した博物館や展示内容をもった博物館を含むように心がけた。たとえば、国立博物館、公立博物館、地域コミュニティが設立した博物館などを取り上げることで、ナショナルなレベルからローカルなレベルにかけて、タイの博物館にどのような特徴が見られるのかを学べるようにした。また、教育機関や寺院を設置主体とする博物館や、博物館とは名乗っていないものの博物館と類似した機能をもつ施設（文化学習センター、民族観光村、アミューズメントパーク、遺跡など）をも訪問することによって、現代社会における博物館とは何かを考えられるようにした。さらには、博物館に埋め込まれた意味やそれを取り巻くコンテクストを知る目的で、市場や村といった生活空間も訪問先に選定した。最後に、タイ国内における博物館の実態調査をおこなってきた、シリントーン人類学センター（SAC: Princess Maha Chakri Sirindhorn Anthropology Centre）[5]を訪問した。センターでは、スタッフらとの意見交換をつうじて、より俯瞰的な視点からタイの博物館や文化人類学の課題を発見し、日本の現状と比較検討することを目指した。

2.4　タイの博物館の歴史的背景

タイでは今日、博物館のことをピピッタパン（*phiphitthaphan*）と呼ぶ。かつて、この語は「さまざまなモノ」を意味するタイ語であったという［日向 2012: 30］。19世紀半ばにモンクット王（ラーマ4世）が宮廷内に建てた私的な展示室の名前にもこの語が用いられている。モンクット王の私的な展示室には、仏教美術品、骨董品、調度品などが展示され、王は西洋からの来賓客に見せたりしていた。これは、かつてヨーロッパの王侯貴族が自らの邸宅に競って築いた「珍品陳列室」ないし「驚異の部屋」と同類のものである［吉田　1999］。やがて、1874年には、モンクット王の息子であるチュラロンコン王（ラーマ5世）が父親のコレクションを移設して「ミウシアム」（英語 museum のタイ語読み）を開設した。公開を前提とした博物館としては、これがタイで初めての施設だったという［日向 2012: 32; Incherdchai 2016］。

当時、南アジアや東南アジア地域では、西欧諸国による植民地支配が拡大しつつあった。チュラロンコン王は、視察に訪れたジャワとインドで、博物館が植民地統治の正統性を示す手段として用いられていることを知り、シャムへ帰国した後、博物館をつうじて自国の文明の独自性や優秀性を示す必要があることを認識したという［平井 2013: 28］。シャムは直接的な植民地支配を受けることは回避したが、近隣諸国の政治状況がタイにおける博物館の誕生に大きなインパクトを与えたことはたしかである。

チュラロンコン王治世の後半には、王族やエリート層のあいだで歴史・考古学への関心が高まり、1907年には「考古学協会」が設立されている。その後、スコータイ遺跡での考古学調査が実施されたことを皮切りに、次々と文化行政体制が整備されていった［日向 2019］。1926年には、シャムの考古遺物と美術品に重点を置いた、歴史・美術系博物館として、バンコク博物館が開館した。このとき、ダムロン親王（チュラロンコン王の異母兄）はフランス極東学院の歴史家セデスと協力して仏教美術史を確立し、それにもとづく考古遺物や美術品の展示をとおして、タイ民族の特徴を定義づけ、その意義を主張していった［日向 2012: 43–45］。また同年施行された博物館法により、地方の複数の寺院で、収蔵品を整理した博物館が設立されていった

[Incherdchai 2016: 58–59]。1932年の立憲革命により、バンコク博物館は国立博物館に改組されたが、2年後の1934年の法制定に伴い、それまでに設立されていた王室や寺院のコレクションを基盤とした博物館はすべて国立博物館に改称され、芸術局の管轄下におかれるようになった。

国立博物館のミッションとは、タイ全土に共通する「タイ人らしさ」(*khwam pen khon thai*)なるものを示すことにあり、国民の国家に対する誇りを育むことにあるという[Charoenpot 2008: 3–8]。こうした国立博物館が地方で急増したのは、1960年代から1970年代半ばにかけての時期で、現在の国立博物館の数の半分以上にあたる25か所がこの時期に新設された[Incherdchai 2016: 59]。その背景には、タイがこの時期に、政府の開発政策のもとで急速な社会発展を経験したこと、また1973年の民主革命を経て地方の文化とアイデンティティに対する関心が高まったことなどを指摘できる[平井 2013: 285, 294]。

現在、国立博物館はタイ全国に43か所ある。国立博物館と一括りにされている博物館も、設立の由来や場所・空間によって、いくつかのタイプに分類することができる。一つは王室や寺院の所有していたコレクションを格上げしたものであり、もう一つは発掘調査の成果を保存・展示するために遺跡や古代都市の近くに建設されたものである。いずれのタイプの国立博物館も、美術品や考古遺物が中心で、民族誌資料が極端に少ない[平井 2013: 285]。最近でこそ、地方の国立博物館には地域の歴史や文化を展示するようになったが、バンコク国立博物館に、国内の少数民族や仏教以外の宗教に関する資料がほとんど展示されていないことは、筆者にとっては驚きであった。

国立博物館と一括りにされる博物館の規模も大小さまざまで、直面する課題は一様ではない。ところが、1997年に制定された国民教育法によって、1)博物館はインフォーマル教育の一構成単位とする、2)教員は生徒を博物館に連れていかなければならない、ことが定められた。これに伴い、国立博物館も従来の役割やイメージを修正する必要が生じている[6)]。インチャートチャイは、2016年の時点で、国立博物館に勤務する学芸員の数は90名ほどで、大規模な博物館では3名、中規模な博物館では2名、小規模な博物館では１名しかいないため、規模の小さな博物館では学芸員の負担がきわめて大きくなっているという問題を指摘している［Incherdchai 2016: 62–63］。

2.5　タイの博物館をめぐる現状

シリントーン人類学センターによると、今日、タイには1,578か所の博物館があるという（2020年10月31日現在）。同センターの資料によると、それらは次のように分類される（表２）。

表２　タイにおける博物館の運営主体別の分類

運営主体別の分類	博物館の状況			
	開館	改修中	開館準備中	閉館
財団ないし非営利組織	51	0	1	1
教育機関	326	0	2	4
寺院	396	10	2	3
コミュニティ	106	0	0	2
行政	234	3	4	2
国立博物館	43	0	0	0
営利組織	63	0	0	1
個人	164	2	0	9
自治体	145	1	0	3
合計	1,528	16	9	25

出典：シリントーン人類学センターホームページ「仏暦2563年タイ国内における博物館の状況に関する表」を参照し、筆者作成。

表２が示すとおり、タイ国内における博物館の運営主体は多種多様であるが、いくつかの特徴を指摘することができる。

まず目を引くのは、寺院が運営主体となっている博物館が、数の上で最も多いという点である。このことは、タイの博物館のひとつの大きな特徴である。タイ全国の寺院数は41,142か寺（2020年７月現在）であるから、単純計算すれば、博物館をもつ寺院は全体の１％程度に過ぎないことになる［国家仏教事務所資料］。

しかし実際には、博物館と名乗っていなくとも、伝統的に多くの寺院が文化財を保存する「博物館」の役割を担ってきた。比較的近年になってから、公開を目的として、そのために新たにモノを収集したり整理したりして、改めて「博物館」を名乗る寺院が増えていった。その背景には、1960年頃から国家が進める文化政策や開発言説のほか、農村社会の流動化や人びとの宗教意識の変化がある。たとえば、宗教局が主導する「開発模範寺院」制度において、タイの寺院の大半を占める「村の寺」は、地域の伝統文化を継承する教育施設と位置づけられ、博物館を設立するよう推奨されてきた［岡部 2014: 194–195］。また、少数の「森の寺」でも、瞑想や菜食などの禁欲的修行によって非凡な能力を獲得した高僧や聖人を尊ぶ博物館が各地で設立されている［Gabaude 2003; 2013］。

次に特徴的であるのは、国立博物館が全国各地に設立されているという点である。数だけ見れば、国立博物館は、他の運営主体による博物館に比べて少数にとどまっている。しかし、国立博物館が43か所もあるという事実は、たとえば国立博物館の数が4か所にとどまる日本と比較すると明確なように、国立博物館が主要都市のみならず国家のすみずみにまで普及していることを表している。その背景は、前項で述べたとおりである。

表2からは読み取ることが難しいものの、三つ目に注視すべきは、タイで「コミュニティ博物館」などと称される小規模な博物館が多数存在していることである。表2では、設置主体がコミュニティである博物館の数は106となっている。しかし、タイで「コミュニティ博物館」と称される博物館の運営主体は、地域コミュニティに限らず、寺院、教育機関、地方自治体、個人などと多岐に渡っている。これらの博物館は、1980年代半ば以降、とりわけ1990年代後半から2000年代にかけて、地域の伝統的な生活用品やコミュニティの歴史を展示し、それを次世代に継承するために、多くは農村で自主的に設立されていったものであり、政府の方針に従って設立されたものではない［平井 2013: 285–287］。これらの博物館を、研究者や博物館の専門家らは「コミュニティ博物館」ないし「地域博物館」（*phiphitthaphan thonrgthin*）と呼ぶ[7]が、農村の人びとは「土着博物館」（*phiphitthaphan phu'n ban*）や「土着文化センター」（*sun watthanatham phu'n ban*）と呼ぶこともある。

このように、現在、タイの博物館の設置や運営に関わる主体は多種多様であるが、歴史的にみると、タイの博物館が王室と仏教の伝統に深く根ざしていることは明らかである。またタイでは、1960年代以降の開発政策とそれに伴う社会変化が、国立博物館の増加や博物館の多様化の大きな背景となっていた。とりわけ1990年代後半からは各地で、「コミュニティ博物館」の設立・運営がブームとなった。

寺院や地域コミュニティを拠点とするローカルな博物館の呼称は文脈に大きく依存している。そのため、本稿では、現地の人びとの呼び方を優先したうえで、寺院が設置・運営する博物館を「寺院博物館」と呼び、地域コミュニティが設置・運営する博物館を「コミュニティ博物館」と呼ぶこととする。2018年度の海外博物館研修では、「寺院博物館」としてローンメン寺の博物館を、また「コミュニティ博物館」としてゲートガーラーム寺の博物館を選定し、訪問した（いずれも研修4日目、8月12日）。

3.　研修をとおした異文化体験①——予想の範囲内の反応

海外博物館研修をとおして、学生たちはタイでいかなる異文化体験を得たのだろうか。学生たちは、総じて、タイの人びとの暮らしを想像しやすい施設や場所・空間で、強い関心を示した。文字化された情報が多用される博物館よりも、体験型プログラムが中心となっているような博物館や、そもそも博物館ではない生活空間などである。本節では、学生たちが強い関心を示した訪問先を3つ取り上げ、そこでの学生たちの異文化体験を紹介する。

3.1　仏教寺院と市場——博物館を取り巻くコンテクスト

プラタート・ドーイステープ寺（Wat Phrathat Doi Suthep）は、チェンマイ市街地の西側に位置するステープ山（Doi Suthep、標高1,676m）の山頂に建てられた仏教寺院である。同寺院は、当時チェンマイを拠点とするラーンナー王朝の6代目の王、クーナー王によって14世紀後半に建立された古刹である［Swearer et al. 2001］。ステープ山の麓から寺院まで続く道路は、1939年、当時の高僧クーバー・シーウィチャイ（Khruba Sriwichai）師と地元住民たちが協力し、わずか5か月足らずで完成させたと伝えられている。

また、山門から主要な建造物が集まるエリアまでは、300段ほどの立派な階段があり、雌雄のナーガ[8)]が象られている。今日では、ケーブルカーも設置され、国内外からの観光客がひっきりなしに訪れるが、仏舎利を納めた仏塔（*phrathat*）とクーバー・シーウィチャイ師を篤く信仰する地元住民にとっては、ここはタイ北部随一の聖地である。

われわれは研修２日目に訪問した。寺院では、筆者とタイ人のガイド役が解説しながら、学生たちは、黄金色に輝く仏塔の前で靴を脱ぐこと、仏塔を右回りに三周して参拝すること、僧侶や仏像や仏塔に向かって三度跪拝すること、僧侶が手首に糸を捲きつけて魂（*khwan*）を身体に留めるためのスー・クワン（*su khwan*）儀礼をおこなうことなど、タイの仏教寺院での基本的な所作や慣習を身につけた（写真１）。学生たちにとっては、寺院で目にすることすべてが新鮮だったようである。詳しいことは分からなくとも、見知らぬものとの出会いによって心躍らされている様子が伝わってきた。

写真1　プラタート・ドーイステープ寺で仏塔を拝む学生たち

出典：筆者撮影

翌日、研修３日目に訪問したワロロット市場（*talat Warorot*）は、地元住民からはカード・ルアン（*kat luang*）すなわち「最大の市場」と呼ばれているとおり、チェンマイ最大規模の市場である。もともとラーンナー王朝の治世者の葬儀場として使われていた場所が、ヂャオ・ダーラー・ラッサミー（Chao Dara Ratsami）妃の発案によって、1910年に市場として転用された。現在、４階建ての建物に約500の店舗が軒を連ねるほか、通路にも売り子たちがひしめき合っているため、いつ訪れても活気に溢れている。また、生鮮食品や加工食品をはじめ、衣類、日用品、儀礼用具など地元住民の暮らしに不可欠なモノのほか、観光客向けの民芸品も売られている。

学生たちは、言葉がほとんど通じないながらも市場の売り子と交渉してみたり、また市場で売られているモノを購入してみたり、見知らぬものに積極的にアプローチしていた。学生たちが購入したのは、食品ではココヤシのジュースやガトーン（*krathorn*）[9]のシロップ漬などであった。衣類では男子学生はエキゾチックな模様がプリントされた開襟シャツやリラックス用ズボン、女子学生は山地少数民の民族衣装のデザインと素材を模倣したワンピースなどである。食品はあまり口には合わなかったようだが、衣類は研修期間中に何度も身につけていた。

3.2　文化学習施設――「バーン・バイ・ブン」

研修4日目に訪問した、「タイ・ルー土着の知恵学習センター「バーン・バイ・ブン」」（*sun kan rianru phu'm pannya Tai Lue "Ban Bai Bun"*）は、チェンマイ市街地から約20km離れたドーイサケット郡に位置する、体験型の文化学習施設である。センターは、中年女性P氏とその家族・親族らによって2012年に設立され、運営されている。P氏は、地元の公立小学校で音楽の教師[10]として長らく働いてきた経験をもち、タイ・ルーの掛け合い歌の、数少ない継承者の一人である。

タイ・ルーは、タイ族のサブグループのひとつで、現在の中国シーサンパンナ・タイ族自治州（西双版納傣族自治州）にルーツをもち、古くは14世紀頃から現在のタイ、ラオス、ベトナムあたりに徐々に南下していった。センターのあるルアンヌア村は、タイ・ルーの人びとが多く居住する村のひとつである。ドーイサケットには19世紀頃には移住していたと考えられている［馬場 2018］。センターは、ドーイサケット周辺でのタイ・ルーの文化復興運動のなかで、歌や踊り、言語、衣服、食など、伝統文化の保存と継承を目的として設立された。今日では、センターでの文化体験プログラムが観光客にも人気となり、CBT（Community Based Tourism）のビジネス・モデルとしても注目されている。

センターに到着したわれわれを出迎えてくれたのは、タイ・ルーの民族衣装を身に纏ったスタッフらである。彼らは、水に浸したウコンの葉をつかって、われわれの手に水を掛けるやり方で歓迎してくれた。中に入ると、センターに移築された高床式の古民家の上階に案内された。Ｐ氏は、キンマの葉（ビンロウジと石灰と一緒に噛む嗜好品）やたばこを用意し、客人をもてなすやり方を実演して見せた（写真２）。

その後、学生たちは自由に家屋を見て回った。水汲みのための天秤棒と水桶、黒い綿布でできた蚊帳が張り巡らされた寝室、綿花から糸を紡ぐ糸車や機織り機などに、実際に手で触れ、その感覚を得ることができる。

また、途中から全員でセンターの中央部に設置された多目的スペースへ移動し、スタッフ（Ｐ氏とＰ氏の娘や姪）からタイ・ルーの歌と踊りを教えてもらった。学生たちは、初めははにかんだ様子を見せていたが、次第に打ち解けて楽しむようになった（写真３）。このときに覚えた歌や踊りは身体化され、バンコクへ移動した後も、学生たちは至る所で歌や踊りを反復していた。続けてステンシル工作に挑戦した。ステンシルがタイ・ルーの伝統的な技法であるかどうかは不明であるが、用意されていたいくつかの図柄は「タイらしさ」の感じられるものであった。トゥン・ヤーム（*thung yam*）と呼ばれる、簡素な布製の肩掛けカバンが一人ひとつ配布され、カバンの布に各

写真２　「バーン・バイ・ブン」で客人をもてなすやり方を学ぶ学生たち

出典：筆者撮影

写真３　「バーン・バイ・ブン」でタイ・ルーの歌と踊りを学ぶ学生たち

出典：筆者撮影

自で選んだ図柄を叩いて転写していく。初めての体験に、学生たちも楽しんでいる様子だった。

多目的スペースでの活動が終わった頃、ちょうど昼ご飯の時間となった。P氏と同世代の中年女性たちが集まり、タイ・ルー料理を実演してくれる。学生たちは、一緒に作ることも、食べることも自由である。この日は、カーオ・クリアップ・パーク・モー（水を入れた鍋にかぶせた布に米粉の生地を乗せて蒸し、肉や野菜を包んだもの）、カイ・パーム（バイトゥーイの葉でできた型でつくるオムレツ）、カーオ・ヂー（モチ米で作った団子に卵をつけて炭火で焼いたもの）、パッタイ・タイ・ルー（タイ・ルー式の米粉麺の焼きそば）などがあった。日本のタイ料理屋でも、チェンマイ市内のレストランでも、あまり目にすることのない料理ばかりである。マイルドな味付けで、学生たちも腹痛を心配することなくいろいろな料理を試していた。

最後に、センター内に設置されている小さな博物館を見学した。高床式の古い民家を利用してつくられた博物館には、タイ・ルーの移住の歴史について写真と解説文が展示されているコーナーと、タイ・ルーの人びとが使っていた食器、家具、日用品などが展示されているコーナーとがあった。学生たちは、展示物に興味関心を示しつつも、タイ語表記ばかりの解説文を前に静かに過ごしがちであった。

3.3　宗教施設——X仏法センター

研修5日目〜7日目に訪問したX仏法センター（*sathan tham X*、以下、仏法センター）[11]は、筆者が近年、自分自身の主たる研究対象としている宗教施設である［岡部 2016; 2017］。2008年に設立されたこのセンターは、チェンマイ県ウィエンヘーン郡の農村にある。制度上は仏教寺院としては認められていないが、主宰者の僧侶T師が20名前後の沙弥（*samanen*）[12]を受け入れ、共同生活を送っている。チェンマイ市街地から約150km 離れているが、ミャンマー国境まではわずか約20㎞しか離れていない。こうした立地にあるため、沙弥のほとんどはミャンマー・シャン州出身のシャン人で、教育機会を得るために出家している。ミャンマー国籍の沙弥もいれば、タイ国籍の沙弥もいるが、沙弥の親のほとんどがタイ国内で日雇い労働に従事している

[岡部 2019]。沙弥たちは、日中は郡内の寺院付属学校に通い、夕方からはセンター内で読経や瞑想のほか、農業や建設労働などに勤しむ。センターには、出家者でも在家者でも宿泊できる、たくさんの「土の家」(*ban din*) が建てられているが、これらの一部は沙弥たちが自力で建てたものである。中学卒業ないし高校卒業と同等の資格を得たら、還俗する沙弥がほとんどであるから、還俗後を見据えて、実用的なスキルを習得させる必要がある、というのがT師の考えである[13)]。それゆえ、センターの沙弥たちは、寺院付属学校での勉強以外に、農業、建設労働、国内外の訪問者たちとの交流に取り組む。

筆者は、研修の前に仏法センターを訪れ、T師に研修の受入を願い出るとともに、2泊3日の具体的なプログラム内容について相談した。仏法センターでは、頻繁に国内外の青少年向けの道徳キャンプ (*khai khunnatham*) が実施されている。われわれの研修では、これを参考にして、センター内で読経や瞑想、農業、沙弥との交流をおこなうこととし、それ以外の時間は、センター周辺地域の人びとの暮らしを学ぶことに充てることとした。

5日目の夕方、仏法センターに到着したわれわれを出迎えてくれたT師は、早速われわれをセンター内の畑に連れて行き、イモの植え付け作業を手伝わせてくれた (写真4)。初め、学生たちは、なぜ宗教施設で農業体験をするのかが分からない様子だったが、作業が終わり、T師がフレンドリーに話しかけてくれたり、果樹園に実るスターフルーツなどをもぎ取って食べさせてくれたりするうちに、緊張はほぐれていった。

また、水浴びと夕食を終えた後、T師と沙弥たちがおこなう勤行に、周辺的に参加させてもらった。学生たちは、パーリ語の経文が朗唱されるのをひたすら聞くだけで、意味はさっぱり分からない。しかし、チェンマイ市街地のホテルとは異なる環境のなかで、夜風を感じながら僧侶たちの読経の声を聞くことも、その後しばらく座って瞑想をすることも、心地よい経験だっただろう (写真5)。

写真4　イモの植え付け作業を手伝う学生たち

出典：筆者撮影

写真5　T師とともに勤行する学生たち

出典：筆者撮影

6日目の朝は勤行に始まり、続いて、T師がセンターと関わりが深いメーペム村へ連れて行ってくれた。メーペム村は、山地少数民カレンの村で、村人の大半は農業を生業としている。センターから車で10分ほど走れば、メーペム村である。われわれが村に到着すると、村人たちはラッカセイの収穫の最中だった。筆者も聞かされていなかったことであるが、学生たちが村人の暮らしを学ぶために、ラッカセイの収穫作業に参加できるよう、T師が事前に村人と調整してくれていたのであった。タイ語もカレン語も分からない学生たちが、村人たちと言葉でコミュニケーションを取る事はほぼ不可能であるが、土のついたラッカセイを収穫し、まとめていく作業では、視線や表情を駆使してコミュニケーションが成り立っていた。また、引率教員のひとりは、作業の合間に畑の外で出会った村人に、村のどぶろくを振舞ってもらってもらうほどに距離を縮めていた。ラッカセイの収穫が終わると、近年、T師と村人たちが再建したばかりの仏塔を参拝した。

午後、センターに戻ったわれわれは沙弥との交流の時間を持った。互いの生活について聞き合う質問タイムは、言語の壁や恥ずかしさのせいか、あまり話が弾まなかったが、学生からの出し物として、トランプを使ったマジックを披露したところ、いままでの言語の壁や恥ずかしさが一気に吹き飛び、両者が打ち解けていった（写真6）。

交流を終えた夕暮れ時に、T師から歩行瞑想（*doen kammathan*）を指導してもらった。歩行瞑想とは、足を地面から離し、高く上げ、前方に投げ出し、地面に着ける、という一連の動作のなかでおこなう瞑想である。一つ一つの動作をゆっくりとおこなうことで、瞬間、瞬間の心と身体の動きを注意深く観察することができる。歴史的にさまざまな瞑想法が探求されてきたが、日本では禅宗における座禅のイメージが強いため、学生たちにとって歩行瞑想は新鮮なものだった。T師に導かれた学生たちは、一列を成し、裸足で地面を歩く（写真7）。つい、普段と同じように、何も考えずにさっさと歩いてしまいそうになるが、それをいったん抑止し、ゆっくりと動作することには予想以上の難しさがある。学生たちは初めて歩行瞑想に挑戦することによって、実践をとおして仏教を学ぶことの楽しさに気づかされた様子だった。

写真6　学生たちが披露するマジックに釘付けになる沙弥たち
出典：筆者撮影

写真7　歩行瞑想に挑戦する学生たち
出典：筆者撮影

水浴びと夕食の後、またT師と沙弥の勤行に参加させてもらった。勤行の後、T師と沙弥が意見交換の時間をつくってくれた。これまで、意見交換の時間ではおとなしかった学生たちも、このときは、T師や沙弥たちに、たくさんの質問を投げかけていた。センターで2日間を過ごし、また自分でも瞑想に挑戦し、少しずつ、仏教的世界への関心が深まっていったことの表れだろう。

研修7日目は、いよいよセンターでの最終日だった。筆者のアイデアで、朝食に、日本の料理をつくろうという計画があった。メニューは学生たちが考案し、「日本の一般的な朝食」としてみそ汁、だし巻き卵、納豆が選ばれた。チェンマイ市街地のスーパーマーケットであらかじめ入手しておいた食材を使って、学生たちが協力しながら次々と調理が進んでいく。その様子を、センターの調理係の女性や沙弥たちが、興味津々に覗き込む。調理を終え、いざ学生たちが作った料理を出家者に布施すると、布施を受けた出家者が経文を詠唱し祝福を授けてくれる。学生たちは、こうしたやりとりや、布施という善行によって得られる功徳（*bun*）を故人の霊に転送するという慣習[14)]を学ぶこととなった。ただし、これらはあくまで筆者が声掛けをして実現したにすぎず、学生たちは、見よう見まねで儀礼的行為に挑戦したというのが実情だろう。

その後、センターからほど近い、タイ－ミャンマー国境付近の村と寺院を訪問した。T師はわれわれを、現在は閉鎖されている国境検問所と、国境線によって2つに分断されている仏教寺院へ案内してくれた。T師は、国境線を見つめながら、ミャンマー国内の民族問題の解決が困難であることや、紛争によって二国間の自由な往来が制限されたり、大量の移民・難民が発生したりしていることを、熱く語った。島国で生まれ育った学生たちにとっては、実体として国境が目に見える状況下で国家や民族について考えることは、ローカルでグローバルな問題のリアリティを実感できる貴重な機会になった。

最後に、この地域で最も神聖視される仏塔に参拝するため、プラタート・セーンハイ寺（Wat Phrathat Saen Hai）を訪れた。仏塔の前で、T師はスー・クワン儀礼をおこない、われわれの旅の安全を祈ってくれた。

4.　研修をとおした異文化体験②——予測の範囲外の反応

前節で提示したように、学生たちは、それぞれの訪問先でさまざまな異文化体験を得ていた。学生たちが、積極的にモノを手で触ってみたり、食べ物を食べてみたり、行為を模倣してみたりしていたのは、五感や身体を駆使して、「わけが分からない」文化に、理屈抜きで接近するやり方であり、まさに文化人類学のフィールドワークそのものだった。しかし、学生たちは時折、博物館側の意図やそれを組み込んだ教育デザインからはみ出た反応をも示してきた。以下では、特に印象的な3つの点に注目して、学生たちの反応を紹介する。

4.1 布施すること、布施されること

研修5日目～7日目に訪問した仏法センターからチェンマイ市街地へ戻るときの出来事である。タイでは、訪問先を去るときは必ず挨拶をする。その挨拶では、受入してくれたことへの謝意を伝えるとともに、相手が出家者であれば現金を布施することが一般的である。こうした慣習に従い、センターを去る前に現金を布施しようと心に決めていた筆者は、学生、引率教員、運転手、ガイドに「良かったら一緒に布施しよう」と声を掛けた。先に現金を入れた封筒を用意しておき、順に封筒を回せば、布施したい人が任意で現金を入れることができる。また、学生たちが困ることのないよう、「金額はいくらでも構わない」「あくまで任意」とあらかじめ申し添えた。

しかし、筆者の呼び声もむなしく、学生たちの反応は鈍かった。周りの様子を見てから判断しようとする者、小声で布施するかどうかを相談する者などがいた。それも無理はない。布施する慣習をもたない学生たちにとっては、布施する前に「なぜ？」という疑問が湧き出て、途端に躊躇してしまう。

やがて、数名が封筒に現金を入れ始めたとき、次に問題となったのが金額であった。「いくらが適切なのか？」、「目安を教えてもらわないと困る」といった意見が次々と出された。こうした意見は、布施する僧侶に対して無礼にならないか、また仲介役である筆者に恥をかかせることがないかと懸念してのことだろう。しかし、布施は、サービスの対価のように価格が設定されているわけではない。また後述するように、布施は、自ら持てるものを手放す行為であり、自発性が重視される。他者が布施に口を出すことは避けるべきである。したがって、筆者は、「布施において金額の多寡を気にする必要はない」ということを繰り返し伝えた。その結果、20バーツ（日本円で約60円）札を入れる学生や、布施しないことを選択した学生もいた。

布施（*dāna*、サンスクリット語）とは、出家者や貧窮者等に財物やその他

の施しを与えることである［中村ほか(編) 2014: 864］。布施はまた、仏教だけでなく、ヒンドゥーやジャイナ教といったインド出自の宗教において、慈悲や自己放棄の訓練として主要な宗教実践とされており、見返りを期待しないことが重視される。仏教学者ハイムによれば、古来より、良い布施とは、その行為に先立つ喜び（*śraddhā*、サンスクリット語）が生じるものだと規範化されてきたという［Heim 2004］。また、上座部仏教社会では、布施という善行の果報として功徳が得られると考えられている。一般的に、功徳の多寡が、現世ないし来世でのよりよい生のあり様を決定づけるとされているため、在家者はあらゆる機会にこぞって布施をおこない、積徳行に励むのである。

布施は、出家者の衣食住を支えるために用いられる。タイでは、正式な仏教寺院であっても、仏法センターのような施設であっても、行政からの経済的支援は皆無に等しく、施設は在家者からの布施が主たる運営資金である。今回の研修では、学生8名、教員3名、運転手2名、現地ガイド1名の計14名がセンターに2泊した。その間、われわれは10部屋を使用し、連日、朝昼晩の食事をご馳走になった。またセンターは、電気や水道、食事にかかる費用の負担に加えて、われわれが使用した部屋の掃除や洗濯も負担することになる。それには沙弥たちの労力が不可欠である。

今回、われわれがおこなった布施は、滞在の受け入れというサービスに対する対価ではない。しかし、われわれの布施は、T師をとおしてセンターの運営資金となり、今後、センターの出家者の日々の暮らしを支えるとともに、われわれのような、いつかどこかからやってくるであろう在家者の滞在をも支えることになる。布施は循環していくのである。

学生たちが戸惑いを見せたのは、他者のために布施を与えることに限らない。他者から布施を与えられることでもあった。研修9日目に訪問したバンコク国立博物館でのできごとである。先述のように、バンコク国立博物館は、タイ国内で最も古い近代的な博物館で、王室コレクションや仏教美術を中心に、貴重な展示品が数多く展示されている。今回の研修の山場のひとつだった。研修当日、バンコク国立博物館では、館長自らがわれわれを展示場に案内し、丁寧に展示の説明をしてくださった。また、会議室ではスライドを上映しながら、われわれのために、バンコク国立博物館の現状と課題についてもレクチャーしてくださった。そのおかげで、学生も引率教員らも、タイという国の歴史や、王室と仏教の伝統に根ざしたタイの博物館の特徴についてじっくりと理解を深めることができた。

しかし、学生や引率教員らが何より驚かされたのは、展示場の見学を終えた後、館長によるレクチャーを控えた立派な会議室で、館長自ら振舞ってくださった昼食だった。館長の説明では、その昼食は、博物館のスタッフらがつくったものだという。メニューは、トムヤムクン（酸味と辛味の効いたエビのスープ）やガイ・トート（鶏のから揚げ）といった一般的な料理で、フルーツやデザートまでしっかり用意されていた。スタッフが、順次われわれに米飯やスープのおかわりを勧めて回り、飲み物も配膳してくださった。

写真８　仏法センターで布施する学生たち

出典：筆者撮影

写真９　バンコク国立博物館での昼食風景

出典：筆者撮影

学生や引率教員らからは、「突然の来訪者」に過ぎない自分たちを、なぜこれほどまで歓待してくれるのか、という驚きの声が聞かれた。筆者も、館長と長らく知己の関係にあったわけではない。今回の研修プログラムを調整するにあたって、館長をよく知る研究者に紹介していただいたおかげで初めてお会いできた。館長による歓待の背景には、こうした日本人研究者のネットワークへの気遣いである可能性が高い。しかし、より重要なことは、タイ社会において、他者に食事を振る舞うこともまた布施という善行として捉えられていることである。「突然の来訪者」であるわれわれには返礼できることはほとんどないため、学生や引率教員らは一瞬、「受け取ってよいのだろうか」と躊躇いを感じるのである。しかし、布施が善行として価値づけられるのは、それが自己放棄の実践であり、見返りを求めない純粋贈与だと理解すれば、われわれの来訪が布施という善行を生んだとも捉えられる。

4.2　博物館をめぐる知識とイメージ

一般的に、学芸員を中心にしてモノを収集することは、博物館の主要な活動のひとつである。しかし、タイで特徴的な寺院博物館やコミュニティ博物館で展示されているモノの大半は、外部から持ち込まれたものである。これは、従来、寺院が在家者からの布施によって成り立ってきたことと関係している。寺院には、仏像、儀礼用具、出家者の日用品、饗宴用の食器類や調理器具など、さまざまなモノが集積する。それだけでなく、人びとは、霊験のありそうな骨董品や珍品をも寺院に寄贈する。超自然的な力があるモノを不相応な人が所有すると適切に扱えずに危険が及ぶが、寺院という神聖な場所・空間で霊的能力をもつ僧侶が面倒を見てくれれば問題が起こらない、と考えられているからである［平井 2013: 297］。

4日目に訪問した、ローンメン寺の寺院博物館とゲートガーラーム寺のコミュニティ博物館はいずれも、寺院に集積したモノというモノが溢れかえる博物館だった。もちろん、いずれの博物館でも、展示品をカテゴリーごとに分類し、たとえば「護符」(*phra khru'ang*) といったキャプションをつけて、キャビネットに入れて展示している。こうした見せ方は、1980年代後半以降にタイ各地で、寺院や地域コミュニティが「博物館」を持つように変化する過程で普及していった。

これらの博物館で、学生たちは、貝葉文書 (*bai lan*)[15)] や儀礼用具などの仏教的なモノ、あるいはまた、硬貨、漆器、陶器や電化製品といった、一昔前のタイの人びとの暮らしがわかるモノに特に興味を示していた。しかし、雑多で素朴な展示手法には、多くの学生たちが困惑を示した。カテゴリーごとに分類されているとは言え、ひとつのカテゴリーに属するモノが十分に選別されないままショーケースにまとめられているだけで、整理整頓が不十分に見えてしまう。一つ一つの展示品の名称、由来、用途などの説明もほとんどない。また、通路や壁にそのまま置かれたモノも多数あり、それらは展示品であるか、そうでないのかが判別できない。ローンメン寺の住職が、ショーケースの上にある展示品を素手で掴んで説明を始めたとき、学生たちは固唾を飲んで、展示品を見つめていた。

写真10　ローンメン寺の博物館で展示物に関心を示す学生たち

出典：筆者撮影

写真11　ゲートガーラーム寺の博物館で通路に置かれたモノを見つめる学生

出典：筆者撮影

ここには、寺院博物館やコミュニティ博物館と初めて接触した学生たちの、率直な反応を読み取ることができる。ある女子学生は、ゲートガーラーム寺のコミュニティ博物館を出るときに筆者に向かって、「わたしたちが知っている博物館のイメージと全然違いましたね」と、実感を込めて言ってくれた。学生たちがこれまでに学芸員課程で学んできた博物館学の知識や、知らぬ間に身につけてきた博物館のイメージに照らして見ると、寺院博物館やコミュニティ博物館の実践には、違和感を払拭できなかったのだろう。しかし、まるで未整理な収蔵庫を見ているような錯覚に陥る、これらの博物館には、科学的な手法で管理運営される博物館には見られないような、人とモノの結びつきが見られるのである。

4.3　出家者と接すること

ローンメン寺の寺院博物館では、出家者との接し方をめぐっても、学生たちは困惑を隠しきれなかった。他の訪問先と同様に、筆者は事前に住職に相談をしていた[16)]。学生たちは、タイに来ることも、寺院博物館を訪問することも初めてであるから、展示を見せながら解説してほしいと依頼し、快諾してもらった。

当日、寺院に到着したわれわれは、まず、寺院のオープンスペースへ通された。そこでは、われわれの座席は、正面の住職と正面から向かい合うかたちで配置されていた。この配置には、出家者が在家者とは明確に区別され、かつ優位な立場にあることがよく表れている。正面に座った住職は、われわれに向かって、どこから来たのか、目的は何か、どうやってこの寺院を知ったのか、といった基本的な事項を矢継ぎ早に質問してきた[17)]。住職はまた、ローンメン寺の寺院博物館がいかに先駆的な取り組みであったか、また周囲から評判を得ているのかを誇らしそうに語り、今回のわれわれの訪問を地元紙に取り上げてもらいたいという話を何度も繰り返していた[18)]。筆者は当初、住職の質問に答えながら、タイ語と日本語の通訳をしていたが、途中からはスピードに追い付けなくなった。それからは、住職と筆者が一対一でタイ語の会話を続けることとなった。学生たちは、意味こそ理解していないものの、よくしゃべる住職に遠慮がちに応答する筆者の姿を黙って見続ける羽目になってしまった。

ようやく、博物館にわれわれを案内してくれた住職は、熱心に展示品について解説をしてくれた。しかし、その解説は、住職と筆者との会話が主軸で、会話に時折展示品の紹介を挿入するというスタイルだった。ここでも、住職が学生たちと言葉をキャッチボールする場面はあまり見られなかった。

寺院博物館で学生たちが困惑したのは、出家者と在家者のあいだの非対称な関係性に対してであった。筆者自身は、今回の研修で、その点について特に疑問を感じることはなかった。というのも、長らくタイ北部でフィールドワークをおこなっているうちに、出家者が話したいことを話したいように話すのを聞く、ということが「当たり前」になってしまっていたからである。とりわけ、出家者が年上で、かつ在家者が年下の女性であれば、在家者が聞き手に徹することも珍しくない。

住職は、われわれ珍客に強い興味関心をもっていた。博物館に入る前に、わざわざオープンスペースで長い話をしたのも、また博物館のなかで熱心に話しながら解説をしていたのも、いずれも住職の歓待の気持ちの表れだった。しかし、タイ社会で「当たり前」とされる感覚を持たない学生たちの目には、住職の態度やふるまいは、ともすると周囲を顧みないものと映ってしまう。博物館の外に出るや否や、切実な様子で、「早く次の博物館へ行きたい」と筆者に訴える者もいたほど、寺院博物館はすぐには馴染み難いものだったようである。

筆者は、出家者と在家者のあいだの非対称な関係性は、出家者が指導者としての社会的役割を果たしてきたことに起因すると理解している。出家者は、経典の知識にもとづいて、仏教の教えを人びとに伝える任務がある。それは、説法という儀礼的な場面ばかりでなく、在家者とのやりとりが生じる日常のあらゆる場面においても全うすることが求められる。他方で在家者は、出家者に学び、出家者を支える役割がある。出家者と在家者のあいだには、たしかに非対称な関係性があるが、出家者の役割が求められる限り、それは在家者にとっては問題化しない。今回の研修で、もし住職の態度やふるまいに困惑が生じたとすれば、それは、「突然の来訪者」たるわれわれの存在が引き起こした結果である。

5. 文化人類学教育にタイの博物館がもちうる意味

タイでの研修で、学生たちが示した反応のいくつかは、筆者の予想の範囲内のものだった。それはつまり、学生たちが、博物館側の意図やメッセージを読み取っていたということであり、またそれらを組み込んだ教育デザインに沿ったものだったということでもある。他方で、学生たちが示した反応のいくつかは、筆者の予想の範囲外のものだった。前節で紹介したような戸惑いや躊躇いの反応は、学生たちが、現場で何を読み取るべきか、どのように振る舞うべきかが分からなかったということである。

本節では、このような戸惑いや躊躇いの反応に着目し、「突然の来訪者」が示す反応にいかなる意味があるのかを考察するとともに、学部生向けの文化人類学教育において博物館がどのような可能性をもつのかを検討する。

5.1　タイの博物館が文化人類学教育にもつ意味

「突然の来訪者」たる学生たちが示した戸惑いや躊躇いの反応は、博物館に埋め込まれた意味やそれを取り巻くコンテクストを照射する。その中心にあるのは、タイの博物館と布施との強力な結びつきである。寺院博物館やコミュニティ博物館をはじめとする複数の施設は、第一にそれ自体が布施によって成り立っているということ、また第二にそのような施設を訪れたなら、自分たちも布施を経験せざるを得ないということ、を教えてくれた。個々の学生が身体をとおして、タイの博物館に埋め込まれた意味やそれを取り巻くコンテクストを知ることに、まずは文化人類学教育としての意義があった。

仏教学者のマクダニエルは、出家者が正統な教義を鋳込む場である僧院と対比し、博物館、モニュメント、アミューズメントパークなどの「仏教レジャー施設」は、人びとがレジャー体験をとおして宗教性を獲得する場であると論じている［McDaniel 2017］。マクダニエルの議論を要約すれば、「仏教レジャー施設」では、施設設立当初のデザインこそはあるものの、そこで何かが教え込まれるわけではなく、レジャーとしての体験があるだけである。しかし、来訪者はその体験を通じて仏教の何がしかを学んでいく。また、「仏教レジャー施設」にはさまざまなアクターが参与可能であるために、施設自体も生成変化していく。この枠組みに依拠すれば、学生たちがタイの博物館で得たさまざまな「異文化体験」は、「仏教の何がしかを学ぶ」経験であったと捉えることができる。

さらに言えば、タイでの海外博物館研修は、期せずして、マクダニエルの枠組みを援用した文化人類学教育の実践になっていた、と捉えることも可能だろう。なぜなら、「仏教レジャー施設」としての博物館やその他の施設は、「何かを知る」という意義以上に、「何かを知ることに教育的価値がある」という別の意義をもつことを示しているからである。海外博物館研修は、博物館やその他の施設を「異文化体験」が得られるフィールドとして位置づけている時点で、教育をデザインした教員が、そこには「何かを知ることに教育的価値がある」という意味付けをすでにおこなっていることになる。

学生たちは、博物館に埋め込まれた意味やそれを取り巻くコンテクストをほとんど知らない状態で、唐突にフィールドに参与した。このような「突然の来訪者」が「仏教の何がしかを学ぶ」ことができたのも、またそこで戸惑ったり躊躇ったりした出来事が文化人類学教育として成り立つのも、「仏教レジャー施設」が発揮する強靭なエージェンシーに、学生も教員も巻き込まれてしまうがゆえのことである。

5.2 「異文化体験」とフィールドワーク

海外博物館研修はまた、子島・藤原らのいう「海外体験学習」の一例として位置づけることができる。「海外体験学習」[19]とは、日本で、主として大学が実施する10日前後のグループ活動で、アジアを中心に、世界各地を訪れる複数のプログラムを指す［子島・藤原 2017: 4–5］。こうした教育プログラムは、当初、大学の制度外で、いわば教員の個人的な熱意に支えられて実施されていたが[20]、「グローバル人材育成」を謳う政策などを背景に、近年、とりわけ2010年以降は、大学の正規科目として展開されているという。その潮流は、文化人類学を専門的に学ぶことができる学部・学科・専攻に限らず、全国の人文・社会科学系の学部・学科・専攻でたしかに広がりを見せている。

2020年に入り、新型コロナウィルス感染症の拡大によって、このような潮流に歯止めがかかってはいるものの、それまでは海外渡航する教育プログラムは、各大学の学部・学科・専攻の学びのハイライトとされ、受験生向けのアピールポイントとされてきた。また学生たちは、海外渡航する科目を気負いなく履修できていた。こうした状況下では、学生たちが海外の渡航先で「突然の来訪者」となる機会が多くなる。

文化人類学者の箕曲は、海外体験学習による学びをより効果的なものにするために、「深い関与」に導く仕掛けが重要だと主張する。箕曲は、ラオス南部でコーヒーのフェアトレードを主題とするスタディツアーを実施しているが、スタディツアーに参加する学生たちが皆、初めからラオス農村やコーヒー生産者たちの暮らしに強い関心を抱いているわけではない。それゆえに、ツアーの事前・事後の授業や諸活動をつうじて、学生たちが与えられた多様な学習状況に深く関与するよう導き、経験の「ふりかえり」をおこなう工夫が不可欠なのだという［箕曲 2017: 41］。

単に「楽しかったね」で終わらせることなく、海外で得た経験を学びに転化させるためには、箕曲の主張は正当である。翻って、海外博物館研修に関しては、箕曲の言う「「深い関与」に導く仕掛け」が十分であったとは言い難い。当時の専攻のカリキュラムでは、2年次からの1年半の間に、専攻の必修科目や選択必修科目などを通じて、学生が徐々に自分で関心を育むことが求められる[21]。だが、専攻の学生が誰しも自分で関心を育むことは難しいのが現実である。結果として、研修には参加するのは「博物館に興味関心がある」、「渡航費を工面できる」という条件をクリアできる学生に限られていた。

しかし、海外博物館研修を、専攻の他の科目や諸活動と直接的に紐づけないことが嘆かわしいかと言えば、決してそうばかりではない。なぜならば、そうすることによって、同科目が、あらゆる学生に機会を提供しうる開放性を保持できるからである。きっかけが何であれ、自ら現場＝フィールドに身を投げ出そうとすることによって、さまざまな「異文化体験」を得て「何がしかを学ぶ」ことができる。本稿の事例で示したように、博物館の意図やデザインからはみ出すような反応にこそ、フィールドワークの醍醐味があり、学部生向けの文化人類学教育としての意義がある。

海外博物館研修が、文化人類学のフィールドワーク教育の一実践であると言うとき、フィールドワークの意味は極めて広範に及ぶ。このようなフィールドワークの捉え方は、それ自体、近年の文化人類学の研究潮流を反映したものだと言うこともできる。中尾・杉下によれば、フィールドワークの対象が多様化するにつれて、フィールドワーク概念も拡張している。つまり、従来、人類学者の「秘伝」として語られてきたフィールドワークが、2000年代後半には、隣接諸分野（社会学、心理学、教育学、看護学）や開発援助の実務家やボランティアらと共有されるものとなり、2010年代頃には、アートやビジネスへと拡張していき、さらに今日では、生とフィールドワークの不可分性が語られるようになっているという［中尾・杉下 2020: 11］。

このように、フィールドワーク概念が拡張する現在、究極的には、日常のあらゆる場面（職場での仕事、家事、育児・介護など）がフィールドワークとして対象化しうる［中尾・杉下: 11–13］。この視点は、研修のプロセスを包括的にフィールドワークとして捉える海外博物館のような教育プログラムにとって、きわめて建設的である。「突然の来訪者」ゆえに学生たちが示した反応は、事前にタイの歴史や文化、あるいはタイ語の知識を身につけていれば[22]、あるいは広い意味での人生経験を有していれば、生じ得なかったかもしれない。しかし、現場でとっさに生じた戸惑いや躊躇いの反応は、学生たち自身が「異文化体験」だと認識する一歩手前の状態にとどまっており、そこにはそれまで「見えていなかったもの」が「見えるようになる」潜在力が秘められているのである。

6. おわりに

教育の意義は、「成功」と「失敗」という単純な二分法や短期的なものさしでは計ることができない。本稿が焦点を当ててきた、博物館側の意図や教育デザインからはみ出す学生たちの反応は、ともすると教育の「失敗」と捉えられかねないものばかりである。しかし本稿では、近年の仏教研究と文化人類学におけるフィールドワーク論を参照し、「突然の来訪者」たる学生たちの反応を肯定的に評価する視点を得た。本稿が明らかにしたことは、こうした学生たちの反応が、博物館に埋め込まれた意味やそれを取り巻くコンテクストを照射することであり、フィールドワークの奥深さに気づかせてくれることである。また、これらのことを可能にしてくれる現場、すなわち博物館は、学部生向けの文化人類学教育に可能性をもつことだった。

他方で、本稿においては、フィールドワークの対象が多様化し、フィールドワークの概念が拡張する今日、博物館を用いてどのような文化人類学教育をデザインすることが理想的であるかといった、将来的な展望については議論できなかった。これは文化人類学を教え、学ぶ営みをめぐる、広い議論のなかに位置づけて考察すべき点でもあり、今後の課題のひとつとしたい。

謝辞

2018年度海外博物館研修は、タイと日本の両国で数多くの方々のご協力のおかげで実現できた。とりわけニタヤー・カノックモンコン氏（バンコク国立博物館)、平井京之介先生（国立民族学博物館)、馬場雄司先生（京都文教大学）の御三方のご協力に心から感謝申し上げる。また、X仏法センターのT師をはじめ、筆者が調査研究をとおして信頼関係を構築してきたタイの方々が、研修時にもよき相談者となってくださったことは、海外研修引率という任務の遂行において、この上ない安心感を与えてくれた。関係するすべての個人や組織に感謝申し上げる。

なお本稿の一部は、JSPS 科研費18K12603（代表：岡部真由美、研究課題名：「宗教と世俗の境界の編成過程に関する人類学的研究：タイ寺院の「難民」の生活実践より」）の助成を受けておこなった研究成果に基づき、執筆された。

注

1）約2週間のプログラムのうち、初めの1週目は首都クアラルンプールに滞在し、平日は大学附属語学学校で英語学習に取り組み、週末は森林研究所や国立博物館などを見学する。2週目には、東部パハン州（クアラルンプールから車で約3時間）の農村へ赴き、学生は2名一組でマレー人家庭に2泊3日滞在する。

2）2019年度入学生からは、研修実施時期を2年次夏休みとし、また学生が渡航先をオーストラリア、カナダ、マレーシアの3か国から選択できるように、カリキュラムを変更した。ただし、新型コロナウィルス感染症が世界規模で拡大しているため、2020年度の海外短期研修は不開講となっている。

3）フィールドノートには、研修期間中毎日、現地で見聞きした出来事を記録してもらった。

4）研究の成果は、文化科学研究所2016年度第7回研究例会にて口頭発表したほか（岡部真由美「タイにおける仏教と文化資源：地域博物館の試み」、2017年2月14日豊田キャンパス17号館博物館実習室)、市民向け講座である中京大学オープンカレッジの「博物館／美術館入門」で2016年度〜2018年度にオムニバス講義の一部を担当し、成果の公表と社会還元に努めた。

5）シリントーン人類学センターは、シリントーン王女の36歳の誕生日を記念し、シンラパコーン大学が主導して1992年に設立された研究施設である。2000年には法人化された。シリントーン人類学センターにも、考古遺物や日用品などの展示場はあるが規模は小さい。センターの中心的な活動はタイ国内の民族誌資料の整理や分析である［田辺 2002]。

6）具体的には、教育的配慮を含んだサービスや施設を増設することや、展示ギャラリーでの表象の方法を開発することである。

7）「コミュニティ博物館」を「地域博物館」のサブカテゴリーと位置づける研究もある［Kanokmongkol 2016]。

8）ナーガはインド神話に登場する蛇神。

9）学名は Sandoricum koetjape で、英語ではサントールないしコットンフルーツなどとも称される果物。東南アジア地域に広く生育する熱帯性果樹。熟すと甘みが出るが、未熟な果実は酸味が強いため、和え物やシロップ漬にして食される。

10）筆者は、博士論文のためのフィールドワークで、ドーイサケット郡の別の村に長期滞在していたことがある。当時、下宿先の家族が地元の公立小学校と中学校の教師であったご縁で、P氏と知り合った。また、2018年度の研修プログラムを考える際には、かつての下宿先の家族と馬場雄司先生（京都文教大学総合社会学部教授）にご協力いただき、改めてP氏に連絡を取り、事前に相談の機会を持った。

11）仏法センターとは、タイ語でサターン・タム（サターンは場所や施設、タムは仏法や仏の教えの意）と呼ばれている施設を、筆者が独自に意訳した語である。タイ国内では、寺院として認められる宗教施設は、サンガ法の定める条件を満たし、必要な手続きを経ているものに限られる。

12）沙弥とは、上座部仏教において、20歳未満で、十戒と呼ばれる戒（*sila*）を守る男性出家者のこと。

13）仏法センターの設立の経緯や活動内容の詳細については、別稿を参照されたい［岡部 2016; 2017; 2019］。

14）出家者が経文を詠唱している間に、あらかじめ小瓶に入れておいた水を器に注ぎ入れ、詠唱後に、器にたまった水を樹木や地面に撒くという方法を取る。これを、中部タイではクルアット・ナーム（*khruat nam*）、東北部や北部タイではヤート・ナーム（*yat nam*）と呼ぶ。故人の霊への功徳の転送は、タイの人びとにとって極めて重要な意味をもっており、布施をはじめとするあらゆる善行の機会には功徳の転送がおこなわれる。

15）貝葉とは貝多羅葉の略称で、ヤシの葉などを加工してつくられた筆記具である。紙の生産・流通・消費が一般化する前、南アジアや東南アジアでは、貝葉は宗教的知識の継承に重要な役割を果たしてきた。タイ北部では、ラーン樹（*ton lan*）と呼ばれるタリポットヤシの葉（*bai*）からバイラーンが製作され、仏教経典の書写に用いられた。タイ北部では、20世紀初頭に紙が普及した後も、20世紀半ば頃までバイラーン製作の実践が続けられ、書写した経典を寺院に奉納する慣習もみられた［平井 2007］。

16）筆者は、先行研究［Kanokmongkol 2016, 平井 2013］を通じて、ローンメン寺の寺院博物館の存在は知っていたものの、住職とは面識がなかった。ニタヤー・カノックモンコン氏（バンコク国立博物館館長）に面会した際に相談し、ご紹介いただいた。カノックモンコン氏は、「ローンメン寺の住職はとてもチャーミングで寛大な僧侶」だと教えてくれた。その後、筆者は研修の前にローンメン寺を訪問し、住職にプログラム内容について相談する機会をもった。

17）これらの基本的な事項については、もちろん事前相談の際に、筆者から伝えてあった。

18）住職の説明によると、以前、別の教育機関の学生たちの訪問を受け入れたとき、新聞に記事として掲載された経験があるとのことだった。

19）子島・藤原は、「海外体験学習」を、1）長期留学、2）語学研修、3）インターンシップ・社会企業体験、4）海外研修（フィールドスタディ）、5）サービスラーニング、6）ワークキャンプ／ボランティア、7）スタディツアー、8）ワーキングホリデー、9）バックパック旅行、という 9 つのカテゴリーに分類できるとしている［子島・藤原 2017: 4–5］。大学によって「フィールドスタディ」や「海外フィールドワーク」「海外スタディツアー」などといった異なる名称が与えられることがあるという。

20）先進的に「海外体験学習」に取り組んできた教員たちが中心となって、2004年にはJOELN（Japanese Overseas Experiential Learning Network）が発足された。現在に至るまで、多様な事例の報告と意見交換のための場が設けられている。

21）もちろん、専攻の教員たちも、演習やその他の専攻必修科目のなかで、海外博物館研修への参加を促すために、随時さまざまな働きかけをおこなっている。

22）もし学生たちが、タイの歴史や文化に関する入門書を読んで来てくれていたら、と筆者が思う場面がなかったわけではない。しかし、それによって得られるのは、博物館側の意図をよりよくキャッチする知識に過ぎず、またそれらを組み込んだ、筆者による教育デザインに沿った経験を生み出すに過ぎない。

参照文献

＊英文

Charoenpot, Somlak. (ed.) 2008 *44 National Museums of Thailand*, Fine Arts Development, Thailand.

Gabaude, Louis. 2003 “Where Ascetics Get Comfort and Recluses Go Public: Museums for Buddhist Saints in Thailand”, in Phyllis Granoff and Koichi Shinohara (eds.) *Pilgrims, Patrons, and Place: Localizing Sanctity in Asian Religions* (Asian Religions and Society), University of British Columbia Press, pp. 108–123.

Gabaude, Louis. 2013 “A New Phenomenon in Thai Monasteries: The Stupa-Museums”, in Pichard, Pierre. and Lagirarde, Francois. (eds.) *The Buddhist Monastery: A Cross-Cultural Survey*, Silkworm Books, pp. 169–186. (originally EFEO 2003, pp. 169–186)

Heim, Maria. 2004 *Theories of the Gift in South Asia: Hindu, Buddhist, and Jain Reflections on Dāna*. Routledge.

Incherdchai, Jarunee. 2016 “Policies for National Museum Management: Solutions and Development”, in Sonoda, Naoko. (ed.) *New Horizons for Asian Museums and Museology*, Springer, pp. 57–67.

Kanokmongkol, Nitaya. 2016 “The Situation of Community Museums in the North of Thailand”, in Sonoda, Naoko. (ed.) *New Horizons for Asian Museums and Museology*, Springer, pp. 145–153.

McDaniel, Justin T. 2017 *Architects of Buddhist Leisure: Socially Disengaged Buddhism in Asia's Museums, Monuments, and Amusement Parks*, University of Hawai‘i Press.

Swearer, Donald K., Premchit, Sommai. and Dokbuakaew, Phaithoon. (eds) 2004 *Sacred Mountains of Northern Thailand: And Their Legends*, University of Washington Press.

＊和文
岡部真由美 2014『「開発」を生きる仏教僧：タイにおける開発言説と宗教実践の民族誌的研究』風響社.
岡部真由美 2016「仏教僧による「開発」を支えるモラリティ：タイ北部国境地域におけるカティナ儀礼復興に関する考察」『コンタクト・ゾーン』8: 29–44.
岡部真由美 2017「宗教組織の経営における聖性の創出：タイ北部国境地域における仏法センターの設立・運営・拡大の過程に着目して」藏本龍介(編)『南山大学人類学研究所主催・公開シンポジウム講演録：「宗教組織の経営」についての文化人類学的研究』南山大学人類学研究所、pp. 9–21.
岡部真由美 2019「出家からみるケアの実践とその基盤：タイ北部国境地域におけるシャン人移民労働者に焦点をあてて」速水洋子(編)『東南アジアにおけるケアの潜在力：生のつながりの実践』京都大学学術出版会、pp. 473–520.
田辺繁治 2002「東南アジア人類学の新しい拠点：タイ、バンコクのシリントーン人類学センター」『民博通信』99: 22–23.
中尾世治・杉下かおり(編) 2020『生き方としてのフィールドワーク：かくも面倒で面白い文化人類学の世界』東海大学出版部.
中村元ほか(編) 2014『岩波仏教辞典』岩波書店.
子島進・藤原孝章 2017「大学における海外体験学習」子島進・藤原孝章(編)『大学における海外体験学習への挑戦』ナカニシヤ出版、pp. 1–19.
馬場雄司 2018「変化する各地のカプ・ルー」福岡まどか・福岡正太(編)『東南アジアのポピュラーカルチャー：アイデンティティ・国家・グローバル化』スタイルノート、pp. 447–448.
日向伸介 2012「ラーマ7世王治世期のバンコク国立博物館に関する一考察：ダムロン親王の役割に着目して」『東南アジア：歴史と文化』41: 30–60.
日向伸介 2019「近代タイにおける考古学行政の導入過程：第一次世界大戦と「古物調査・保存に関する布告」(1924) を契機として」『アジア・アフリカ地域研究』18(2): 113–134.
平井京之介 2007「知識のマテリアリティ：北タイのバイラーン製作に関する試論」印東道子(編)『生態資源と象徴化』(資源人類学第7巻) 弘文堂、pp. 293–328.
平井京之介 2013「タイのコミュニティ博物館についての一考察：博物館か，寺院か？」『国立民族学博物館研究報告』37(3): 281–310.
箕曲在弘 2017「海外スタディツアーにおける授業づくり：アクティブラーニングにおける「関与」を中心に」子島進・藤原孝章(編)『大学における海外体験学習への挑戦』ナカニシヤ出版、pp. 26–42.
吉田憲司 1999『文化の「発見」：驚異の部屋からヴァーチャル・ミュージアムまで』岩波書店.

【参考資料】
日本政府観光局 (JINTO)「各国・地域別 日本人訪問者数（日本から各国・地域への到着

者数）（2014年～2018年）」https://www.jnto.go.jp/jpn/statistics/20200318_3.pdf（2020年8月30日アクセス）

シリントーン人類学センター（SAC: Princess Maha Chakri Sirindhorn Anthropology Centre）「仏暦2563年タイ国内における博物館の状況に関する表」（*tarang sadaeng sathana phiphitthaphan nai prathet Thai*）http://db.sac.or.th/museum/statistic（2020年10月31日アクセス）

国家仏教事務所（*Samnakngan Phra Phuttasatsana Haeng Chat*）「仏暦2561～2563年　仏教に関する基礎データ」（*khomun phu'nthan thang Phra Phutthasatsana pracam pi 2561–2563*）

「国内寺院」（*wat nai prathet*）https://www.onab.go.th/th/ebook/category/detail/id/3/iid/21（2020年8月30日アクセス）

第 4 章

辞書、美術館、博物館、図書館

桝 正行

集める原点経験

2015年 7 月18日から10月 4 日にかけて上野の東京都美術館で「キュッパのびじゅつかん」展が開催された。キュッパとはノルウェイ生まれのオーシル・カンスタ・ヨンセンの生み出したキャラクターで、丸太の姿をした少年だ。「びじゅつかん」というひらがな表現から、開催期間といい、この展示が子供を対象としていることがわかる。

企画展の入り口に入ると小さな箱が用意されていて、来場者はその箱をもって会場をまわり、あらかじめ置かれている無数のモノのなかから、自分でモノを選び出し、箱のなかに入れていく。入れ終わった箱がその来場者のいわば作品となる。それを所定の位置において、会場をあとにする。来場者の選んだモノの箱は合田佐和子の作品のようでも、またイギリスの作家カズオ・イシグロの『わたしたちが孤児だったころ』のキャシーやルーシーの私物の箱のようでもある。

そのモノの選択の作業中、自分は何をしているのかと振り返る余裕はなかったものの、会場を離れ、しばらくすると、自分は集めるという行為に参加していたのだと気が付く。そして子供のころの木の葉を集めたり、貝殻を集めたり、どんぐりを集めたりという記憶がよみがえる。うまいからくりだ。

参加型への変化

今世紀、日本の博物館や美術館も参加型が格段に増えた。だれかが施設に集めたモノや作品をありがたがって眺めるというかたちは、テレビから解放され自分がゲームの主役というかたちに慣れた今世紀生まれには馴染まない。

スポーツ関係の展示にもこのことはおよび、もともと運動というものがあり、それを展示できるかたちにしたものの、やはり運動というか体験に戻すというパラドクシカルなことが進行している場合もある。たとえば、2019年夏の東京、初台、NTTコミュニケーションセンターで行われた「スポーツ研究所」展という企画。スケートボード、卓球、テニスなど複数のスポーツの映像が流れ、それを見ているだけでは臨場感はなかろうから、視聴者が実際の会場での体験を体感できるようなからくりが加えられている。ただ、実際のスポーツ→映像→体感という流れができあがっていることはわかるのだが、そこから先は、どこがありがたいのか、専門家以外にはわかりにくいところもある。

辞書

しかし、いつの時代でも子供はモノを集めるばかりではなく、耳にすることばをも記憶にとどめようと周囲の大人に訊いて回る。やがて辞書というものがあることを知り、なんのことはない、自分が訊いて回ったことばのおおかたはその厚い本のなかにおさめられていると知る。これはひとつの感動となる。

辞書は一国のことばのほとんどを掲載しようとする。編纂者は網羅的であろうと改訂を重ねる。国語辞典であれ、日本人のかなりが初めて接することばである英語とその用例や日本語訳を集めた英和辞典であれ。そこから英語の実用的な側面の必要を痛感し、使える英語を磨き、就職するという経路を多くの人がたどるが、なかには辞書を眺めているうちにことばそのものへの関心が加速し、辞書の歴史を紐解くものも時に出てくる。

英語辞典

英語の国語辞典にあたる英英辞典で画期的であったのは、18世紀の出版のジョンソン博士の『英語辞典』だった。意味を年代順に配列したり用例を載せたりと、今の英語辞典であれば当たり前のことにジョンソン博士は初めて手をつけた。能書きが多く、偏見も強い人で、語の定義もユニークだった。ロンドンの文教地区ブルームズベリーから程遠くないホルボーン地区にはジョンソンが辞書を編纂した家が残っていて、世のことば好きの人たちの訪問場所になっている。初めてそこを訪ねた時は、壁じゅうにペタペタと警句を書き込んだ紙でも貼られているのだろうかと妙な先入観を抱いて編集室に入ったが、さて実際には、がらんとしていて、拍子抜けしたものだ。

それからイギリスの辞書は発展の一途をたどり、その成果は『オックスフォード英語辞典』というかたちに結実した。辞書の用例はイギリス全土に散らばる聖職者たちの勤勉な読書を通じて収集され、辞書は編集者たちの世界観を如実に反映した。あらゆる書物が著者の世界観を反映するように、辞書もまた編者たちの世界観を反映した。「網羅的」という点が重視された。

街そのものが辞書

辞書という博物館を離れ、実際のオックスフォードに足を踏み入れてみる。街そのものが辞書であり博物館であり、ときに美術館である都市は、イギリスにあってロンドンばかりではない。

ロンドンからバスを使う。街の中は歩くのが観察に一番よい。マートン・コレッジ、モードリン・コレッジ、ウニヴァーシティ・コレッジ、オール・ソールズ・コレッジ、クライスト・チャーチなどのコレッジの他に、ボードリアン図書館、かつてのその分館ラドクリフ・カメラ、オックスフォード大学植物園、イギリス最古の公立博物館のひとつアシュモリアン博物館、オックスフォードの歴史と生活を展示するオックスフォード博物館、大学自然史博物館、ピット・リヴァース博物館、オックスフォード現代美術館などがある。

辞書をつくる

1970年代後半、著者の学生時代の教官の忍足金四郎がオックスフォードに在外研究に出た。古英語の叙事詩『ベーオウルフ』（岩波文庫）の訳者、『岩波英語中辞典』（岩波書店）の編者、『英和辞典うらおもて』（岩波新書）の著者で、イギリスからいただいたエアメールの１通にオックスフォードの地図があった。そこには万年筆の端正な文字で先生が日頃出入りする場所が克明に記されていた。ひとりの日本人がオックスフォードを歩く。やがてその足跡を地図上のメモのかたちであれ、残しておきたいと思う。残された地図とメモは、当時のいわば現実の投影でありながら、現実とは遊離したもの。それが著者の手に伝えられ、著者の中で、今度は地図と書き込みが現実となる。オックスフォードという現実の土地とは別の地図そのものがテキストとして独立を果たす。著者はそれを読図し精読し、頭のなかに入れて、せいぜい先生が滞在されたときの年齢の前にオックスフォードの土地を踏みたいと思い始める。先生の現実のオックスフォード、地図上のオックスフォード、著者の歩いたオックスフォード、その３つを今、回想しながら書いているときの著者の中で組み立てられているオックスフォードと４つが著者の頭のなかで絡み合う。それにルイス・キャロルが教えていた学寮、V・S・ナイポールが学んだ学寮などが絡み、土地は幾重にもひとの想像力をかきたてやまない。美術館も博物館、そのように複層的に後発の見学者を刺激して初めて、文化継承を担うことになる。一過性の施設と異なるところだ。

「網羅的」志向の限界

美術館も博物館も人がモノを集めて展示する。大英博物館のように展示しきれないのでモノを倉庫にしまっているところもある。辞書がことばを、美術館や博物館がモノを集める。ことばとモノ。モノは美術館の絵画のように何かを指し示すこともあれば、博物館の展示物のようにそれがはじまりでありおわりである、つまり何も指し示さないモノ自体であることもある。ことばとモノといっても辞書と美術館、博物館の共通点は多い。ところがひとつ決定的な違いがある。辞書は「網羅的」という状態に限りなく近づくものの、美術館、博物館は、どれをとっても「網羅的」からは程遠い。個人作家を顕彰する文学館、記念館でさえ、作家の生前の生活のすべてを埋め尽くすことができないでいる。いくつもの欠損を承知でこうであったろうという年譜にしたがって作家ゆかりのモノやことば（作品や書簡）で会場を埋めていく。個人の画家や彫刻家を扱う美術館も例外ではない。いかに幸福な画家とても第三者の知りえぬ生の実態のひとつやふたつあり、そこは展示の対象外とならざるをえない。

これが複数の画家を扱い時代の相を描き出そうという試みとなると、無数の空白部分ができてしまう。すると「印象派」の文字を企画展のタイトルに入れながら、観る人に何が「印象派」なのだろうかと思わせる展示ができることになったり、「印象派」の絵画を１点だけ中心において、あとはそれに類する絵画をまわりに配するという展示まで出てくることになる。

ひとつの国の国立博物館はその国の姿を網羅的に表象していると一般的には思い込みがちだ。各世紀の歴史上重要なモノがもれなく網羅されているかのように思い込みがちだ。しかし、複数の国の複数の国立博物館のプラン（平面図）を抽象化して一列に並べてみると、そうした思い込みがかなりあやしいものであることに気づく。

不在の露呈

どの国の博物館のプランにも共通するのは、グッズ売り場とレストランのみということになれば、それは比較から生じる認識という果実どころか、ひとつのブラックユーモアの具体例になってしまう。ほかに共通部分を探すと、たとえば建国の経緯とか、経済発展を遂げた時期の展示の過剰とかが浮かび上がることだろう。どの博物館も強調したい展示品やパネルがある。反対にどの博物館にも共通の白い部分、空白の部分もまた浮かび上がる。博物館で興味深いのは何を展示しているかであると同時に、何を展示していないかという点にある。そして展示するモノがなかったから、そこを飛ばしたのか、それとも展示する側の都合がモノの不在や実在にかかわったかだ。

こうした展示物の不在は、辞書ということばの貯蔵庫にあってはまれだ。あることばについて沈黙を守り通すということを辞書が行うと、辞書は信用を失う。ところが博物館は、たとえモノの不在に乗じて展示の空白を生むことがあるとしても指摘されるまでには時間がかかる。気が付かれることもなく、空白込みで展示全体がいつのまにか正当性を獲得してしまうことさえあるかもしれない。

博物館と英語

中京大学現代社会学部国際文化専攻の半期科目「博物館と英語」を3回担当し、気づいたのは博物館の恣意性と欠損であった。この科目はおよそかけはなれたふたつを結びつけることによって生ずる新たな認識への到達を目指すという大仰な目的を持つと同時に、博物館をめぐりどのような英語が必要になるかということを実体験として考えることを目指す訓練的要素をもった科目だ。

はじめ、担当教員である筆者が、国内外の複数の美術館、博物館を提示し、20名前後の受講者に英語でそれら施設について説明することを求めた。毎時間4つから5つの施設について受講者が英語で紹介をしていく。ハンドアウトも英語。そう言うと、何か一見高度な作業をしているようにも聞こえかねないが、はじめはだれしも稚拙な表現と浅い洞察から出発した。受講者の担当が一巡すると、二巡目からこれではいけないとプレゼンテーションに磨きをかける学生が出てきた。ハンドアウトをより濃密にし、掲載する写真を洗練し、英単語の発音ひとつひとつに注意を払い、全体としてわかりやすい説明を、原稿を見ることなく行う学生が出てくる。すると他の受講者たちも同年代の発表者の成長に感化され、自分のプレゼンテーションのありようを改善するようになる。15回目最後の授業時間のころにはほとんどの学生が英語のプレゼンテーションの何かを認識し、別の機会にはおそらく、二巡目から頭角を現した受講生のごとく発表をこなすであろうという期待を担当者に抱かせるほどに成長をした。

３つの問題点

ここから３つの新たな問題点が明らかになった。第一に英語の問題。プレゼンテーションに熟達した受講生が英語の学習上よくみられるディレンマに直面しているのではないかということ。プレゼンテーションの上達がすなわち資格試験の点数の上昇には結び付きにくい。反対に資格試験の点数の上位者がプレゼンテーションをうまくこなすという保証もない。担当者として必要なのは、この英語にからむディレンマの事例をいくつも列挙し、プレゼンテーションの訓練をするという方向からの英語学習と資格試験に特化した訓練をするという方向からの英語学習とを遠からぬ将来一体化することを意識するよう受講生に求めることだろう。

第二に恣意性の問題。15回授業の後半には「マイミュージアム」と称し、受講生が世界各地から自分で美術館、博物館を選び発表するという課題を課した。ここに至って３つの恣意性がからむことになった。第一の恣意性は、受講生の対象選択。受講生は自分の意思で対象を選択する。海外勤務の保護者に連れられて出かけたおよそ一般の日本人にはなじみのない、それでいて本人にとっては忘れ難い美術館や博物館。第二の恣意性は、その施設の開設者やキュレイターが持つその施設独特の恣意性、つまり何を収集しているかということ。宇宙人をテーマとした施設を紹介されたときには、授業担当者として自己の美術館、博物館についての認識におおいなる欠損があると知らされたものだ。第三の恣意性は、選んだ対象のなかから自分の気に入った作品やモノを選び紹介せよという課題にかかわる。受講生は自分の選んだ施設の展示品のなかから自らの嗜好にしたがって１点を選び紹介する。そこに受講生自身の個性が反映することになる。

第三に欠損の問題。宇宙人の話題ですでに暗示したところだが、担当者の美術館、博物館についてのある種の教養主義に裏打ちされた授業回数前半までの施設は、後半、受講生の選択結果によって、見事にうちくだかれていく。

この欠損のうちにこそ、ことばとモノが人によってどのように認識されていくのかという歴史的プロセスの１コマを、垣間見ることができる。

遠隔授業

ところがである。試行錯誤を続け、1年間の春学期、3年ばかりこの科目を担当してきたところで、4年目、コロナ禍により、遠隔授業で実施するという新たな試みに挑むことを余儀なくされた。勤務先も多くの大学同様、2020年春学期、まずは遠隔授業に踏み切るという決定をした。対面授業用のシラバスを遠隔授業用シラバスに書き換えることから始め、MaNaBoというシステムを使って、5月連休開けから授業が始まった。

大学の授業形態は、こういうことはなくとも、いずれは対面授業と遠隔授業の併用に移行するであろうとかねがね考えていたが、こう早く、事態が進むとは考えていなかった。これもひとつの外圧である。少し先回りすると、2020年の春学期が終了した段階の8月で、ある医師と話をしたところ、医師は半世紀分の変化かもしれないと語った。変化に対する認識は5年から、その10倍の50年まで、人によってさまざまということになり、それぞれの世界の混乱の度合いも想像がつこうというものだ。

学生、教員の双方にとって初めての経験である遠隔授業だから、ただでさえ世の中が急速に変化しているのだからと、穏当なかたちを選択した。教科書を決め、毎回一定量を読み、課題を提出してもらうというよく言えばクラシックなかたち、悪く言えば限りなく自由度を許容するかたちのシラバスを作成した。

朝起きると百通

教員の側からすると、課題を出したから安心という具合には行かない。課題を読み、コメントをつけて返信する必要がある。全担当科目で学期終了時には1700通を越える学生からのメールの添付書類を読み、返信をしたので、最後のほうは、目が悪くなる、腕がだるくなるという、具体的な疲労の蓄積ばかりでなく、頭の中がはなはだ混乱するという経験もした。1700余通のメールにはそれぞれのベクトルがあり、それに対する返信もまた同様なので、頭のなかに無数のベクトルが混在することになり、論文を書こうとか、さらに長い量の一冊の本を書こうといった気力が消え失せた。８月の下旬の春学期終了時点では、ばらばらな主張で混乱した頭を、なんとかひとつの主張、自分の執筆対象を摑み取るというひとつの運動に収斂しなければならなかった。これに１週間を要した。

遠隔授業のメリットとデメリット

専門科目の「博物館と英語」を除く、全学共通科目の「教養テーマ講義」、「異文化研究」などの３科目で、最終回、メリット、デメリットを書いてもらったところ、次のような意見が出た。以下、いずれもその要約で、ことばは直してある。

学生の側から

［メリット］

＊通学時間から解放された。
＊オンデマンドのため時間が自由につかえた。
＊満員電車に乗らなくてすんだ。
＊朝、ゆっくり寝ることができた。（片道２時間で、名古屋学舎９時始業の場合、５時台に起床する必要がある。前日にはアルバイトが夜まであることもありうる）
＊パソコンの処理能力が上がった。
＊外出が苦手という場合でも、家で学習することができた。（引きこもりがちでも、学習が進められた）

［デメリット］

＊目が悪くなった。
＊時間管理がずさんになった。
＊機器の入手が困難だった。
＊機器の使用に慣れなかった。
＊質問に対する答えがすぐに得られなかった。
＊大学に入ったものの、友人ができなかった。

＊母親が食事の支度が大変で疲労した。
＊家のなかばかりにいると、憂鬱な気分になる。

以上が代表的な反応である。そして数の上では、メリットのほうがはるかに多かった。筆者の科目が文科系の科目であったことも多いに関係していよう。理科系科目、体育系科目となると、事情は大きくことなるであろう。地域性も関係しよう。メリットの方は、当座、問題点となりにくいが、デメリットのほうも、対応策が困難甚だしいというものは稀だ。

美術館、博物館、図書館の場合

人は図書館に行き、本を探す。それは著者というある意味で「師」を探しているので、訪れた図書館に求める「師」の本がなければ、市内、区内などのネットワークの恩恵に浴し、別の図書館から求める「師」の著書を移送してもらう。

美術館や博物館の企画展は、年間スケジュールによっておおかたわかるので、あらかじめ訪問計画を立てておく。その際、「師」とたよるアーティストや人物の企画展があれば、この上なく幸運であるし、作家などの場合は、個人作家を顕彰する記念館も日本、および世界にあるので、新規の企画展の間を縫っては、収蔵品のチェックなどにたずねてみる。いわば辞書としての図書館、美術館、博物館の利用がこうして加速化する。

図書館、美術館、博物館は基本的に全入である。これこれの予備知識がなければ、入れないというものではない。成人対象と見える展示を子供が見て、成人より強烈な衝撃を受け、それがその子供のあとあとの人生にまで影響をおよぼしているという例はすくなくない。「博物館と英語」では、子供のころに親に連れて行かれたそうした施設への言及が多数あった。大学生となり勉強の一環としてしぶしぶ出かける施設とことなり、そうした施設には、子供のころの記憶、親の想いなどが絡み合っていて、記憶に曖昧な点があろうが、受けた印象の強烈さばかりがのこり、思わず、思わずそこを掘り下げて課題をこなすという学生がかなりいた。

記憶の中の場

コロナ禍の結果として、館と名のつく施設に入ることに躊躇が生まれて久しい。かといって街を辞書に見立て散策するにしても、頻繁に外出するわけにもいかない。畢竟、外出を想定しつつ自室で本やネットの資料に目を通さざるをえない状況のなか、われわれはかつて出かけた場、一度限りの訪問地も含め、そうした場所を想起しつつ、またコロナ禍の去ったあとに訪れる訪問地を絞り込み、さらにその土地の施設を絞り込むことになる。かつてのやみくもにとある街を訪れて、やみくもに見まくるというかたちをわきに置き、どれかひとつ、ふたつと集中する場合、どこにでも行くというかたちがあることに気づく。

たとえばシンガポール。暑い夏など歩けるものではないから地下鉄網を利用するが、オーチャード駅周辺に関しては、オーチャード・ロードから南西へタングリング・モールまで歩ける。道沿いの店店では家具や民芸品や絵を売っている。反対にオーチャード駅からオーチャード・ロードを東に向かいサマセット駅あたりまでも歩ける。日系デパートや、地元の大小の店が並び、およそどこの大都会にありそうなモノはなんでもある。シティ・ホール駅から始めると、ラッフルズ・ホテルに加え、ナショナル・ギャラリーや多くの公共施設と大きなホテルを見られる。フードコートも市場の一種と見る。中国人街、インド人街、アラブ人街という具合に多様な世界がある。

そう広くないこの土地のなか、かつてであれば、セントーサ島もシンガポール動物園もという具合の旅を計画したものだが、これからでかけるかもしれぬ旅にあっては、さらに焦点を絞り込む。ラッフルズ・ホテルという、グッドウッドパーク・ホテルと並ぶコロニアルスタイルのホテルがあり、著者が見学したおりには「サマセット・モームの部屋」というのがあった。作家の写真や旅行鞄、それにペーパーバックの作品が並んでいた。その一冊『作家のノート』を買い、読んでみると、書くことについての姿勢は決して古びていないことが確認できた。ウディ・アレンにも、ナイポールにも、イシグロにも通じる何かがそこにあった。かなうかなわぬは別として、再訪はより抽象的になる。見たもののなかで、特に浮かび上がるものが、後になってわかり、ならば、この厳しい状況のなか、今後見るものは、後になって浮かび上がるものを、あらかじめ見定めたいという具合になる。
あるいは香港。幾多の博物館、美術館といった施設から、重慶飯店付近という点に関心が収斂していく。

絞り込み

実際に訪ねた土地を記憶のなかで再構築したり、いまだ訪れぬ土地を頭のなかに思い描いたりしているうちに、現地踏査はいつの間にか、文学の領域にまで足を踏み入れる。足を踏み入れたまま、しばらく抜け出せなくなり、そのままその場にとどまるという場合もあろう。
思い直して、隙間に実際の博物館、美術館、図書館を訪ねようという気になる場合もある。すると、表に出る頻度が減っていた分、表に出るということの新たな意味に気づかされる。ただし、コロナ禍のただなかにあっては、施設への滞在時間はできるだけ短くする。そのためには、施設内の展示をあらかじめ調べ、目的の対象を絞り、たまたま目にしたものに吸い寄せられるというかたちを避けることになる。偶発的な着想の到来を過度に期待しない。施設の外に広い敷地が広がっていれば、そこで新鮮な空気を吸う。
ひとところにとどまらぬため、道を施設に見立てて歩くというかたちも生まれる。東京で言えば浅草雷門から浅草寺に至る仲見世商店街、上野駅から御徒町駅までJRの高架線とほぼ平行に走るアメ横。この一帯がアメ横商店街で、地下もあれば上階もある。
巣鴨、とげぬき地蔵に向かう通り。まずは巣鴨駅からこの道に入り、右側通行で庚申塚あたりまで店店を見ながら歩く。庚申塚あたりで折り返し、右手の店店を見ながらまた歩く。市場が道のかたちをしているとわかる。
日暮里の石段と商店街のように高低差がある市場もある。東京は歩くと坂道が多いと気づく。
京都、錦小路市場も通りの好例。食品に特化した市場で東西に走る道を最初は北側の店を見ながら、折り返して今度は南側の店を見ながら歩く。デパ地下とは異なり大げさに言えば食に対する新たな認識を提供する。しかしこうした市場は商品の具体に気おされて、思考が深まるという具合に運ばない。そこで哲学の道という便利な道があり、商品に目を奪われない分、思考に集中できる。人は歩いていて道の両側を見る以上に自分のなかや記憶などよそ事を考えていることが往々にある。この辺りが法然院に抜ける道と思い定めて、方向を変え、法然に思いをはせれば、次回、同じ場所を通り、思考は法然から先へと進むこともある。

映画館を集めてシネコンをつくる。事前に上映予定を確認してから出かける人もいれば、とりあえず出かけ、上映中の映画のポスターを見てから、観る映画を決めるという人もいる。シネコンは映画の市場だ。

駅と駅

巣鴨の商店街のように道のはじまりが巣鴨駅近くで終わりが庚申塚駅というかたち、つまり駅と駅を結ぶ道の両脇にはいっそう多くの商店が並び、市場の活況を呈する。

東京で言えば、新宿駅と西武新宿駅を結ぶ歌舞伎町界隈の何本かの通り、その西武新宿駅から乗車し終点の西武線本川越駅と東武東上線川越駅を結ぶ通り、京王線府中駅とJR府中本町を結ぶ通り、京王八王子駅とJR八王子駅を結ぶ通り、東急田園都市線三軒茶屋駅と東急世田谷線三軒茶屋駅を結ぶ地下道、さいたま県の北にあたる栃木県のJR宇都宮駅と東武鉄道宇都宮駅を結ぶ通り、静岡県のJR静岡駅と静岡鉄道新静岡駅を結ぶ通り、JR浜松駅と遠州鉄道浜松駅を結ぶ通り、名古屋市の地下鉄栄駅と名鉄栄町駅を結ぶ地下道。枚挙のいとまもない。これらの道は朝夕、通勤通学客にいわば踏みならされていて、隙間風のふく間もないほどに賑わう。

江戸時代の街並みとして残る道も当時の生活のみならずそこに住んでいた人々の交流の姿まで浮かぶしくみになっている。岐阜県馬籠の藤村記念館を訪ねれば、島崎藤村が『夜明け前』で描いた中山道の交通と、この山の中にまでおよんでいた当時の日本の情勢にまで思考がおよぶ。

そうした街道筋の宿場町がいまでも残されていて、通りのかたちをした市場さながらに文化の変質と流動を物語る。

馬籠に近い長野県妻籠、長野県奈良井、長野県海野、福島県大内、福井県平福、埼玉県川越の電線を地中に埋めた蔵造の建物の並ぶ界隈と、人とその背景についての話題に事欠かない地域はまだまだある。著者は三重県の関が理解しやすい場所と考えている。山の中でもないし、交通の便もさほど悪くない。名古屋駅から関西線に乗り、桑名、亀山と抜け、関駅に至る。一里ほどの通りの左右に建物、商店、文化遺産とならび、見ては歩き、考えては歩き、メモをしては歩きという具合に一日が過ぎる。どこの土地であれ、持ち帰ったメモの内容が多岐にわたっていればいるほど、その場の指し示す世界も多様ということになる。反対に一点を掘り下げていくといった場所もあり、そういう場所でのメモは、深みへの到達という幸運もあるが、悪くすると堂々巡りということもある。

芭蕉の足跡をたどって五街道のめぼしい箇所を回れるものの、近くまで新幹線、そこから在来線、あとはバスか徒歩で点としてのその場所を訪問することはできようが、線としての街道を一本一本完成させることは、なかなかかなうものではない。街道の地図を広げて、壁に貼る。

河川の往来も道の往来に似たところがある。タイの水上市場では、往来だけではなく、モノの売り買いが行われる。茨城県の水郷地帯にはかつて運搬にアメリカ製の外輪船が航行していた。利根川や霞ケ浦などの停泊地に立ち寄ってはモノを運んだ。墨田川河岸の図と言えば、春なら桜、夏なら花火と屋台が出て人でにぎわう。江戸東京博物館で職人たちの三畳一間の長屋の生活を想像するにつけ、外食の重みを確認する。いずれも川が道に置き換わる以前のことだ。

リアルタイムで経験するかのようにそうした江戸を堪能する時間がないというのが大方だ。ならば、江戸をパッキングした施設を訪れる。墨田川沿いの蔵前国技館に隣接する東京都江戸東京博物館。高橋是清邸ののこる江戸東京たてもの園。原宿駅に近い浮世絵の太田美術館、静岡県由比駅から歩く安藤広重美術館、京都府嵐山の落柿舎、三重県伊賀上野の蓑虫庵といったさらに小さな場へと関心を広げていく。同市の芭蕉記念館のパネルに詳しい芭蕉の大きな旅のすべてをたどるなどは夢のまた夢としても。

江戸時代の宿場町も市場の様相を呈すると言えば、現代の問屋街は通りのかたちをした市場そのものだ。当然のことながら衣食住の衣食に直結している。住に直結している市を探すと、ハウスメーカーの住宅展示場ということになる。マンションのモデルハウス、工務店が案内する自ら建てた家の市は個々の建設中の家や人の住み始めている家ということになる。

食にからむモノの市場浅草かっぱ橋道具街には食器やキッチン用品の店が並ぶ。靴などの履物は浅草・花川戸のはきもの問屋街。繊維製品では日暮里の繊維街がある。衣料品については馬喰町問屋街と横山町問屋街がある。食品は別として衣食は揃った。食品には魚の豊洲市場がある。全国の主要都市に生鮮食品や野菜果物市場がある。

あとは必要な商品ごとに、モノごとに、その問屋街を訪ねる。本なら神田書店街、文房具ならば文具女子博という具合に。文具も機能と装飾性を統合しうる理不尽に高価にならぬモノのひとつだ。

地図も市場に、そして博物館に

名古屋駅から地下鉄で伏見駅での乗り換えを入れてふたつ目の大須観音駅から歩いてわずかのところに大須観音がある。ここからだいたい次の地下鉄駅の上前津駅までの間のところに大須商店街が広がる。大須観音通、仁王門通、大須本通、門前町通、赤門通、万松寺通、東仁王門通、新天地通と南北にいくつもの通りがあり、通り沿いに無数の商店がある。食べるための店、テイクアウトのための店、モノを買うための店、着るモノを買うための店とおよそ人の衣食に関係する商品はすべてある。何度足を運んでも、新しい店が見つかるというところは浅草など全国の大商店街と変わらない。大須商店街を説明する「大須マップ20周年」を祝う「大須MAP 2019–2020」についた地図も店の説明も、そのまま市場と見える。地図を見ながらあたかもひとつひとつの店に入るかのように、いくつもの店の説明がふたつとして同じというかたちがない。

作家を歩く

町田の商店街でも道は生きている。遠藤周作が利用したという書店やのぞいたという乾物屋がある。町田市民文学館まで歩く。遠藤の像が前に立っている。さらに町田市立国際版画美術館に足をのばすこともできるし、戻って今度は行きと反対側の店店を覗くこともできる。

この辺りが遠藤の散策したところと知り、実際30年以上も経過した今、歩くことにどういう意味があるかとなると、意見が分かれる。遠藤の町田とその後歩く文学ファンの町田には時間の隔たりに加え、歩く日の天候や歩くものの心持などいくつもの差があるので、歩いてなんになるのかと考える立場から言えば、すぐに目に見える意義は見ない。しかし30年以上という隔たりを意識し、今歩く自分と遠藤との心境の差異を意識しつつも、歩かないではいられないというのが、現地踏査を尊重する立場の本音だ。歩いたあとに上下2巻の『遠藤周作全日記』(河出書房新社、2018)に目を通すと、歩いた場所のことが書いてあるわけではなくとも、作家への理解が深まる。遠藤だけではない。歩くことで作品理解が深まると考える読者にとっては、どの作家についても、これが当てはまる。

ロンドン

チャールズ・ディケンズのロンドンを歩く。いつも人でにぎわうコヴェント・ガーデン。かつての野菜果物市場だ。カムデン・マーケット。どこまで行ってもまだその奥があるという長い大きな市場で、骨董品などもあったが一度火災にあった。歩くに都合のよいのはポートベロー。複数の言語が耳に飛び込んでくるオックスフォード・ストリートにはセルフリッジズはじめいくつかのデパートがある。建物のつくるカーブが歩行者を楽しませるリージェント・ストリート。1960年代イギリス文化の発信地カーナビー・ストリート。もう60年の歳月が流れている。およそひとつの土地というものは、店が入れ替わったり、建物が立て替えられたりと変容が常だが、他の土地との位置関係は変わらない。高級品店の並ぶボンド・ストリートやニュー・ボンド・ストリートといった通り。アメリカからイギリスに帰化した作家ヘンリー・ジェイムズの『黄金の盃』の作中人物はボンド・ストリートで盃を購入する。今なら通販で購入するという方法もあるが、小説というジャンルは、作中人物がそれらしい場所でそれらしい行為、この場合は購入をするというところが細部の補強となり、物語全体を支える。反対に物語の主筋がどれほどしっかりとしていても、ちょっとした細部におかしな点があると読者は離れる。

V・S・ナイポールのロンドンを歩く。大英博物館近くのかつてアンドレ・ドイッチェという出版社のあった場所から、ナイポールとポール・セローが食事をしたソーホー地区のホイーラーズというレストランのあたりまで歩く。セローは２人の友情と別れを綴った『サー・ヴィディアの影』で、支払いのころになるとナイポールが席を立ってトイレに行くと書く。

通りの名前を小説のタイトルにする作家もいる。ナイポールは『ミゲル・ストリート』という小説を書いた。ブラック・ワーズワースという自称詩人と主人公の少年が通りを歩く。「名前のないもの」という家具をつくる大工がいる。通りを離れてヴェネズエラに行ってはまた戻ってくるボガートという謎の人物もいる。アメリカの作家シャーウッド・アンダーソンには『メイン・ストリート』という作品がある。ジャック・ケルアックの『オン・ザ・ロード』の主人公たちの移動手段は車だ。もう少し時代が下っていたらバックパッカーになって世界に出ていたことだろう。

ロンドンを離れ

ロンドンから列車で約５時間。スコットランドの首都エジンバラ。ここに歩く距離が道の名前に含みこまれているロイヤル・マイルという１マイルの通りがある。坂道の起点のホーリールード城から坂道を登り切ったところにあるエジンバラ城までの道は、左右にいくつもの史跡に恵まれている。たとえば『国富論』のアダム・スミスの家。見学して何年も経ってから、ものを考える場所とは、書斎とはと考えるときに、脳裏によみがえるがっしりとした家だ。あるいはロバート・ルイス・スティーヴンソンの家もある。後年、南海に旅することになる作家は実は北国の寒い場所が出発点だった。えてしてこういう通りの建物はその国の人々にしか知られていないような人物の住居や仕事場ばかり、ホーリールード城の内部にかかる肖像画もおよそだれかわからぬ人々ばかりながら、スミスやスティーヴンソンの存在には驚かされる。

ケンブリッジもロンドンからバスステーションまでバスで行く。ここも街がそのまま大学のキャンパスのようなところなので、歩くのが一番よい。E・M・フォースターのキングズ・コレッジがある。『長い旅』の冒頭、牛は存在しているのかいないのかという議論が出てくるが、現在も牛が草を食んでいる。アイザック・ニュートンの出たトリニティ・コレッジもある。フィッツウィリアム博物館、ケトルズ・ヤード現代美術館、ケンブリッジ博物館、ヴェニスの橋を模したという「ため息の橋」、幾何学的デザインの木製の橋「数学の橋」もある。

カンタベリーはどうだろう。カンタベリー大聖堂は1170年に起きた大司教トマス・ベケットの暗殺で知られている。ジェフリー・チョーサーの『カンタベリー物語』はカンタベリーを目指す巡礼の一行が、天候に祟られ、旅籠のなかでそれぞれが手持ちの話をするという設定だが、目的地には着かない。バースの女房はじめ、強烈な個性を持った人々を一同に集めるには都合のよい設定だ。

そのバースはローマン・バースを中心とする保養地で、美しい橋のかかるエイヴォン川を小さな船で遊覧できる。ロイヤル・クレセントはディケンズの『ピックウィック・クラブ』の作中人物の時代からあり、今ではジェイン・オースティン・センターまである。

歩くこともまた移動だ。移動には具体的な移動と抽象的な移動がある。遠藤が町田を住居としていたとき、実際に町田の通りを歩いたというそれぞれに1回限りの散策を行ったとき、その歩きは具体的この上ない。ところが読者が同じ場所を歩けば、それは遠藤の歩きとは異なるから若干の抽象性を帯びてしまう。距離感によって抽象性が生まれると言ってもよい。いずれにしても歩くという行為は乗り物の利用と比べれば、具体的だ。

具体性喪失

自動車、バス、列車、船、飛行機となると、移動を可能にするという乗り物の「効用」的側面が加速化し、具体性が欠けてくる。バスは昼間であれば、窓からの景色が連続的に映っていくので、トンネルのなかをのぞけば、具体から引き離されることはない。これが新幹線くらいのスピードの列車となると、トンネルの多い山陽新幹線などの車上では、自分がどこにいるかわからなくなる。船旅も岸を離れ大洋に出ればまわりはすべて海で、地形の具体性といったものはなくなる。代わりに乗船客の目をひくのは同乗の他の客であったり、人を退屈させない船内のさまざまな仕掛けであったりする。大きな客船のなかにはひとつの小さな街の機能がすべて入り込んだようになっている。レストラン、売店、図書室、映画館、クリニック、ジム、プールなどが乗客の目を水平線から船内へと向けさせる。人工的な街に目をとめぬ乗客の目は他の乗客そのものに注がれる。

アトリエの外へ

画家が外に出るのも、その時、その場のありままの様子を見たいからだ。スケッチをしてアトリエに戻った時には、もう、その時、その場の感覚は薄れている。代わりに出現するのは画家が創り出した世界。それは現実に画家が訪れた場所からは遠ざかっている。完成した絵を見る者が画家の訪れた土地を見ても、それは画家の経験した土地、画家の創り出した世界のどちらとも一致しない。場の変化、土地の変化、画家のなかでの創作行為というプロセス。こうしたいくつもの要素のために見る者は画家の見た光景に容易に近づくことはできない。それでもそうした光景のスポットは画家に選びこまれたものであることに変わりないので、見る者を揺さぶる。芭蕉が俳句によんだ場所、西行が和歌によんだ場所も、そうした練りこまれた場所だ。句碑や歌碑がいくつもあったりする。そこに立てば、どれほど無粋であっても何かしら浮かぶ。訪れてみればあっけないという感想を抱くとしても、あるいは何かただならぬ感覚を経験するとしても。

作家たちは自らの生涯の旅程の１コマに京都を外さない。奈良を外さない。旅行会社のパンフレットのコースの背後には、何世代にもわたる旅人たちの足跡が横たわっている。そうした目的地の重要施設の案内やコースの案内は、一見初歩的に見えても重要ということになる。さらに現地の観光案内所で入手する現地の絵地図は現地の外では得られない情報の宝庫たりえる。現地での旅を終え、ふと手にした絵地図を帰りの列車のなかで車窓の景色の合間に見て、忘れ物のように重要施設を落としたと感じる場合も少なくあるまい。「また」や「もう一度」がついに訪れぬこともある。

道が市場というのは人が移動して固定した店店を覗くというかたちだが、パレードなどは車窓から外を見る乗客と同じで、見せる人々が移動し、見る人々が動かないで見る。パレードは何かを売るわけではないが、動きの配分はそうなる。マラソン選手も道を走る。沿道に人がじっとして選手たちを待つ。

壊す

作家や画家の訪れた土地は変化していく。建物であれば変わっていくばかりでなく、壊されて更地にされたり、別の建物が建てられることがある。場が作品になれば、永遠に残るというのも若干の誤解を含んでいる。電子テキストの時代となり東西の国会図書館に保存されれば文学は壊れずに残る。ただ後世の人々の解釈という地層がその上に堆積していくのみだ。

壊すということを前提ととらえているアーティストもいる。「霧と鉄と山と」を東京、府中美術館に展示した青木野枝の姿勢がそれだ。「彫刻家・青木野枝は、大気や水蒸気をモティーフに、万物がうつろいゆくなかの生命の尊さをあらわしてきました。その彫刻は、鉄や石膏という固く重い素材を用いながら、周囲の空気をまとって、とても軽やかに見えます」（府中市美術館ホームページ）とある。「作品のほとんどが展示場所に合わせて作られ、展示が終わると解体されます。青木は、つくって、置き、崩す、を繰り返し、その営みのなかに自らの彫刻があると考え、実践しているのです」（同）。われわれの目はアーティストの創るという行為に向きがちだが、青木は「解体」や「壊す」という行為まで見据え創作を行うという。

現実世界でも、たとえば壊すというところまで考えて家を建てる人は、建築家や専門家は別として、少ない。建てて住み、必要がなくなったら売るか壊す。壊すのは土地を売るためで、古屋付で売れれば壊すこともしない。

われわれは壊すときのことを考えないでモノを購入する。処分するときのことを考えないで本を買う。

こういう考え方もできる。先行作品はたとえ壊されたとしても、後続作品になにがしかの痕跡を残す。家の足場は家が建てばはずされるが足場がなくては家は建てられない。

霧、鉄、山はそれぞれに人になにかをうったえる。イギリスに限って言えば、霧は石炭で暖房をとっていた時代のロンドンにしばしば発生した。鉄と言えば、造船。目に見えるかたちの鉄であれば、キューガーデンズのガラスと鉄でできた温室。この鉄は1850年のロンドン万博のときに使用されたものだ。山は日本のそれと違いなだらかなものが多い。ただ火山活動でできたエジンバラ城の足元の山は寒々としていて、城の外は寒風がふきすさむ。

ローマで記憶に残るのはアメリカ大使館近くのフィオリ広場の花の市。パンテオンの前のロトンダ広場。ヴェニスはサンマルコ広場もさることながら、水上ではなく運河に沿った細道を歩いていて突然小さな露天商の前に出るというかたちが旅情をそそる。いまさらながら商圏は異なろうが『ヴェニスの商人』という作品があることが面白く思えてくる。フィレンツェであればシニョーリア広場。細かいものをたくさん売っている。ボローニャであれば市庁舎広場。まわりの建物が圧巻だ。

壊すには主体があるが、絶滅は絶滅するものの意思とは別の理由で起こる。強いて言えば「壊す」のではなく「壊れていく」、「滅びていく」ということになる。しかし主体のある「壊す」もふじのくに地球環境ミュージアムの「大絶滅：地球環境の変遷と生物の栄枯盛衰」（2019–2020）というきわめて大きな文脈を扱う企画展と並べて考えると、主体としての人が何を壊すべきで、何を壊さざるべきか、さらに何を、ときに壊れるままにしておくかという考察にたどり着く。

欠けているもの

こうして国内外のいくつかの都市を歩き、記憶のなかで、意識するとしないとにかかわらず比較をしてみると、先に述べた国立博物館のプランを重ね合わせたときのような欠損に気づく。ここにもそこにもあるが、あちらにはないもの、という具合だ。その感を強くしたのは富山市を訪れたときのことだ。どこの県庁所在地にもあるようで、それよりも刺激的な美術館。どこの県庁所在地にもあるような百貨店。どこの県庁所在地にもあるような博物館。ところが、県庁所在地であればある、県の中心都市ならばあるというありさまとは若干違う施設を目にした。富山市立図書館だ。市立図書館であればたしかに日本中、市の数だけあるかもしれない。問題はその位置である。富山市立図書館の場合は、市の真ん中とでも呼べる繁華街に、百貨店などから歩いて行ける距離にあり、市民の貴重な情報源、学習の場となっている。歩いても、市電でも、容易にアクセス可能な場所に本の山があるということだ。

そうして改めて全国の県庁所在地の地図を見ると、図書館がその市の知的生活を位置的に、視覚的に牽引しているかに見えるケースは、そうそうあるものではない。

美術館の展示品は貸し出されない。博物館の展示品も貸し出されない。貸出可能な本の山を市の中心に用意した場合、あるいは神戸市のような図書館の増設が、市民の生活にどのような影響を及ぼすのか、目が離せない。

ロンドンの大英博物館の中にあった大英図書館が、セントパンクラス駅に移転したことによって、その周辺の雰囲気ががらりと変わったことを、思い起すにつけても、図書館という施設の牽引力に改めて気づかされるからである。

図書館という解説装置

特定の大学ということではなく、新入生に夏休み前までに何冊の本を読んだかとたずねると、ゼロという回答の多さにたじろぐ教員はすくなくないのではないか。スマートホンの普及、時代の進行速度など、理由はいくつも考えられるが、入学以前までに本を読むことの面白さを経験していないことが関係しているように思われる。ある学生が小さな教室の授業で、机の上にいつも新刊ということではなく、新しい本をおいているので、どこで借りてくるのかとたずねると、通学途中の駅に直結している図書館に寄り借りてくるのだという。こういう習慣のついている学生をひとりでも多く増やすため、こういう習慣を小学生くらいから身に付けてもらうため、今、期待を注ぐことのできる施設としては、やはり図書館が筆頭に来ようし、美術館や博物館もそれにならぶであろうし、さらにそうした施設をコンパクトにまとめたかのような辞書にも多きな期待がかかる。

たとえば富山市立図書館、あるいは仙台メディアテーク内の仙台市立図書館といった施設、さらに全国に次々と開設されるユニークな図書館を見るにつけ、図書館、美術館、博物館、辞書を生命体のごとく継続的に学生に紹介していくことが、これら施設や辞書の研究の末席を汚す者の役割との思いを新たにする。

参考文献

カズオ・イシグロ 2001『わたしたちが孤児だったころ』早川書房
忍足欣四郎 1982『英和辞典うらおもて』岩波書店
中島文雄・忍足欣四郎 1981『岩波英和辞典』岩波書店

第5章

大学博物館の役割

—— Beyond 'Town and Gown' ——

亀井哲也

1. はじめに

2020年8月現在、日本全国で795の大学[1)]があるが、そのうち大学博物館あるいはそれに相当する施設、すなわち大学博物館的施設を有するのは130〜181大学で、施設数は162〜281館[2)]とされている。大学博物館的施設の展示内容、展示規模、そして展示レベルにはさまざまなものがあり、対象施設の範囲をどう設定するかで、このような幅が調査結果に生じることとなっている[3)]。また展示を取り止めた、あるいは停止している施設などの数え方も数値の幅に影響している。本稿では大学博物館的施設を幅広くとらえて「大学博物館」と称することとする。それに基づき最大値を採用すると、181大学281館となり、全国の大学の23%ほどにしか設置されていないことになる。しかし大学博物館的施設の数は徐々に増えてきている。

近年の施設数の増加と大学博物館設置を求める声の高まりは、1996年1月の文部省学術審議会学術情報資料分科会学術資料部会による「ユニバーシティ・ミュージアムの設置について（報告）—学術標本の収集，保存・活用体制の在り方について—」が始まりとされる。報告では、大学が収蔵する学術標本は近年発達した分析法で新たな学術情報を創出する可能性があると価値づけ、ユニバーシティ・ミュージアムのもつ機能には収集・整理・保存、情報提供、公開・展示、研究、教育の5つがあり、単なる標本の保存や展示のための施設ではなく、実証的研究を支援するためのものであり、そして社会が要請する「開かれた大学」の窓口として、積極的に地域社会に協力するための具体的で有効な対応策であるとしている[4]。

同年５月には東京大学総合研究資料館が東京大学総合研究博物館に改組されており、文部省と東京大学が足並みを揃えて、ユニバーシティ・ミュージアム、すなわち大学博物館設置に動いていたことが分かる[5]。さらに11月には同館のスタッフの一人である西野が『大学博物館—理念と実践と将来と—』を上梓している。同書で西野は大学博物館の機能として、「博物資源貯蔵庫」、「教育研究機関」、「情報創出・発信センター」、「展示・公開施設」の４つをあげている[6]。一般的に博物館学では、「収集保管」、「調査研究」、「教育普及」、「展示」を博物館活動の４つの柱としているが、西野はそれらを組み替えた上で、「発信」を強調している。この後、全国の国立大学で大学博物館の設置準備が開始され、順次開館されている。

2002年の学校教育法の改正により、大学が７年以内ごとに文部科学大臣の認証を受けた評価機関による評価を受けることとする制度、認証評価制度が導入され、2004年から実施されている。この認証評価制度では、「基準１．使命・目的等」において「大学は、その使命・目的（建学の精神等を踏まえた大学の将来像又は達成しようとする社会的使命・目的）を定め、これを社会に表明する必要」があると述べている[7]。さらに、2008年に文部科学省中央教育審議会が取りまとめた答申「学士課程教育の構築に向けて」において、「２　初年次における教育上の配慮　(3) 具体的な改善方策」の「大学に期待される取組」として、大学への適応の例として「自校の歴史の学習等」が挙げられた[8]ことにより、大学博物館のポテンシャルは拡大した。二方向からいわゆる「自校教育」が大学に求められ、その対応策として関連科目の新設とともに、大学史を展示する施設の開設が検討されるようになった。大学博物館での「自校教育」の実践は、認証評価制度の「自己評価」の根拠たり得るものとされ[9]、私立大学での大学博物館の整備が進んだ。本学でも2014年に自校教育プロジェクトを立ち上げ、2017年度から名古屋と豊田の両キャンパスで「中京大学を知る」という科目を開講している。また2019年10月には中京大学スポーツミュージアムを開館させている[10]。

大学博物館設置を誘導した、開かれた大学、地域社会への協力、そして情報発信といった文言は、その後も強調された。2005年に中央教育審議会が出した「我が国の高等教育の将来像（答申）」の「第1章　新時代の高等教育と社会」の「2 高等教育の中核としての大学」において、「大学は教育と研究を本来的な使命としているが、（中略）現在においては、大学の社会貢献（地域社会・経済社会・国際社会等、広い意味での社会全体の発展への寄与）の重要性が強調されるようになってきている。（中略）近年では、国際協力、公開講座や産学官連携等を通じた、より直接的な貢献も求められるようになっており、こうした社会貢献の役割を、言わば大学の「第三の使命」としてとらえていくべき時代となっている」と述べられ[11]、教育と研究に並び、社会貢献が大学の使命として求められるようになった。大学博物館がもつ社会貢献に対するポテンシャルへの注目は、この頃に全国の大学博物館の調査結果が複数発表されたことにも表われている[12]。

こうした一連の動きは、大学博物館が文部行政の意に添うべく圧力で設立されているかのようにも見えるが、決してそうではない。大学が所蔵する学術標本や大学の歴史を語る史資料の管理を危惧する研究者の声は以前からあり[13]、大学の知的財産を継承する価値を再認識する機運の高まりが、「ユニバーシティ・ミュージアムの設置について（報告）」や、「我が国の高等教育の将来像（答申）」、「学士課程教育の構築に向けて（答申）」という形となり、大学博物館設置に至ったと理解する。

本稿では、まず大学博物館というものがいかなるものかを博物館学の視点から検討する。次に先行研究を踏まえ、国内外の大学博物館の事例を取り上げながら、あるべき大学博物館像、大学博物館が担うべき役割として6つの機能を提示し、考察する。最後に、今後の大学博物館について論を展開する。

2.　博物館と大学博物館

2.1　大学博物館の起源とブンダーカンマー

世界最初の大学博物館は、イギリスのオックスフォード大学のアシュモレアン博物館といわれている。イギリスの政治家で錬金術の研究者でコレクターのエリアス・アシュモールが1677年に大学に寄贈したブンダーカンマーがそのベースである。アシュモールが寄贈したブンダーカンマーの収蔵物を納めるために建てられ建物が、1683年に博物館として開館し、世界初の大学博物館となった。

ブンダーカンマーとは「驚異の部屋」と訳されるもので、15世紀から18世紀にかけてヨーロッパで作られた陳列室をいう。初期は王侯貴族が、後には学者や文人が、世界中から収集したものを集め、自分の権力や地位や知識を誇った空間である。近世ヨーロッパには、大航海時代に「発見」した未知の世界から、自然界の産物と人間界の産物、そして古代の遺物と異国の器物などさまざまなものが流入した。それはこれまでのキリスト教の教義をもとにした中世ヨーロッパの「世界観」から大きくはみ出したもの、珍品が多数あり、ヨーロッパの知の体系は混沌に陥った。ブンダーカンマーは未知であった地域を含む世界の縮図、ミクロコスモスを表わし、近世ヨーロッパの学問的カオスが新たな枠組みを創出していく前夜を体現している。珍品の集積は、当時の情報の集積でもある。情報を無秩序でも大量に集積し、分類し、分析していく中で、このカオスから新たな法則を見つけ、ヨーロッパは近代へと移り変わった。そして、新たな知の体系を「公開」する近代的な博物館[14]、そして大学博物館が生まれたのである。

2.2 大学博物館の位置づけ

現代の大学博物館にはどのような役割が求められているのか、「博物館法」、「教育基本法」、「学校教育法」の文言から抽出を試みる。

博物館を、「博物館法」では、社会教育法に則り、「歴史、芸術、民俗、産業、自然科学等に関する資料を収集し、保管（育成を含む。以下同じ。）し、展示して教育的配慮の下に一般公衆の利用に供し、その教養、調査研究、レクリエーション等に資するために必要な事業を行い、あわせてこれらの資料に関する調査研究をすることを目的とする機関」と定めている[15]。これに基づき、博物館学では、「収集保管」、「調査研究」、「教育普及」、「展示」を博物館活動の4つの柱とし、博物館を、史料、作品、資料、標本などの資料[16]

を収集保管し、調査研究した成果とともに展示し、展示を通じて教育普及活動を展開して、利用者に学びをうながし、知識・情報を提供する機関であると位置づけている。

博物館のあり方は時代に応じて変化している。貴重な珍品を収集・保管・陳列することに意義があった時代から、来館者に教育を施し知識を提供することに意義を見いだした時代へと変わり、21世紀の現在、博物館を利用する人びと（来館しない利用者も含む）と対話し、知識や情報を共有する場となることに意義があると変わってきている。これは1971年にD. F. キャメロンが述べた「テンプルからフォーラムへ」という言葉に集約された考えである[17)]。ともすると資料を神像であるかのように崇め奉るテンプル（神殿・寺院）のような場所となりがちであった博物館の態度を戒め、むしろ古代ローマのフォーラム（広場）のように市民が集い意見を自由に交わし合うような場所となるべきだという主張である。博物館は、貴重な資料を収集保管し調査研究することは当然として、展示を通じて何を伝えようとしているのかを明確にすることが大切である。そして、伝えたいと思うメッセージを博物館の中だけで考えるのではなく、博物館に関心を持つ市民と連携して考えていくべきであり、それが博物館の存在する意義だと考える[18)]。

大学のあり方も、博物館同様に時代に応じて変化している。前述の2005年中央教育審議会答申「我が国の高等教育の将来像」を受けて、2006年に「教育基本法」、2007年に「学校教育法」が改正されている。「教育基本法」では新たな条文を設け、大学を「学術の中心として、高い教養と専門的能力を培うとともに、深く真理を探究して新たな知見を創造し、これらの成果を広く社会に提供することにより、社会の発展に寄与するもの」と定めている[19)]。また「学校教育法」でも「学術の中心として、広く知識を授けるとともに、深く専門の学芸を教授研究し、知的、道徳的及び応用的能力を展開させることを目的とする。（中略）その目的を実現するための教育研究を行い、その成果を広く社会に提供することにより、社会の発展に寄与するもの」と大学を定めている[20)]。条文の中略以降の後半は、第2項として新設された部分である。大学の活動が大学内にとどまるものではなく、成果を付与する対象を学生にだけ限定するものでもなく、広く社会への成果の提供、社会の発展への寄与が明記されている。

以上3つの法律の文言をまとめると、大学博物館とは、学術の中心である大学での学術研究および教育に関わる資料を収集保管し、調査研究した成果とともに展示し、展示を通じて教育普及活動を展開して、広く社会に知識・情報を提供して、利用者に学びをうながし、社会の発展に寄与する施設であることが、役割として求められていると言うことができるだろう。

2.3 大学博物館の目的

では、この大学博物館の役割は何のためであろうか、その目的を博物館活動の4つの柱をもとに考察する。

学術研究および教育に関わる資料の収集保管。大学の研究・教育活動の所産であるいわゆる「学術標本」は、多くの場合、研究を経て「学術標本」とされた過程で、整理され、分類され、情報と結びつけられ「一次資料」となっている。大学における研究と教育に資する資源であり、まさに収集保管の対象となる。例えば植物採集による腊葉標本[21]は、採集日、採集地、採集者等の情報とともに、標本の同定により和名と学名（属名＋種名＋命名者）が記録された段階で、「一次資料」となり、それが博物館で保管されれば「博物館資料」となる。逆に言えば、大学の研究室に保管されていたとしても、それが何であるかが分からないような状態の資料は、「資料」とは言えないということである。もしかすると貴重な資料であるかもしれないが、適切に分類されていない、情報と結びつけられていないものは、「学術資料」とは言えない。しかし、「一次資料」を収集保管しているだけでは、その場所は単なる収蔵庫あるいは倉庫でしかない。

学術研究および教育に関わる資料の展示。展示は、「一次資料」活用の第1ステージである。貴重な資料を公開することは、博物館法の条文になぞらえれば「一般公衆の利用に供し」ていることになる。「公開」はブンダーカンマーの時代の施設と近代的な博物館とを分かつ重要な要素である。例えば、フナが液浸標本[22]として採集日、採集地、採集者等の情報をつけてケースに数百点並べられている様子を想像してみよう。何とも壮観な景色である。しかし、それは何を伝えようとしているのだろうか。魚類学者にすれば、ひとつひとつが学説を裏付けるための重要な学術標本であろうが、生物学、動物学、魚類学に素養の無い者にとってはみな同じように見えて、そこから何を考えればよいか分からないだろう。魚類を研究する学生には「教育的配慮」が施されているかもしれないが、門外漢の学生への配慮には欠けている。「一次資料」を並べただけでは、単なる陳列室でしかない。

学術研究および教育に関わる資料の調査研究。「一次資料」を活用した調査研究が第2ステージとなる。「一次資料」を単に収集保管するだけでなく、目録を作成して資料の存在の把握に努めることは博物館の基本的職務である。今日ではデジタル・データベース化することが一般的で、こうした情報を学内外で活用できる環境を整えて、新たな調査研究をうながしている。「一次資料」の調査研究から何がしかの仮説を導き出し、証明することは、「深く真理を探究して新たな知見を創造」する研究者であれば当然の道筋である。例えば、弥生時代の土器片を研究する際には、出土した発掘現場の地層年代を考慮しつつ、それまでの研究で蓄積され保管されている基準資料[23)]となる土器片と比較検討し、同時代のものであるか否かを判断し、仮説を立て証明し、学術的な新たな知見を提示することとなる。そもそも博物館は「資料に関する調査研究をすることを目的とする機関」であり、大学博物館であれば二重に研究機関となる。

学術研究および教育に関わる資料の研究成果の展示。「一次資料」を活用した調査研究に基づく成果の展示が第3ステージとなる。大学における研究成果こそ、大学がもつ研究と教育に資する資源であり、それを大学博物館という場で公開することで、「その成果を広く社会に提供」し、「社会の発展に寄与する」こととなる。博物館は、展示を通じて何を伝えようとしているのかを明確にすることが大切である。腊葉標本の比較による植物の新種発見という成果そのものが展示のメッセージかもしれないし、研究のために液浸標本をつくる手順や失敗談、あるいは発掘した土器片を考古資料として時代を判定する比較方法やこれまでの学説を覆すような発掘成果の公開が展示のメッセージかもしれない。いずれにしても、そこには単なる陳列ではない展示がある。

学術研究および教育に関わる資料による教育普及。大学がこれまで収集保管してきた「学術標本」を一次資料とし、深く真理を調査研究して創造した新たな知見に明確なメッセージを込めて展示したものは、学びをうながす教育普及活動となる。

次に問題となるのは、この大学博物館の展示による教育普及は誰のためか、ということである。来訪者に学びをうながし、知識や情報を提供することは博物館の必要条件である。そして今日、前述のとおり、来訪者と対話し、知識や情報を共有する広場となることが求められている。大学博物館は、見学する学生たちだけの場ではなく、卒業生、地域の人びと、研究者、そして将来の大学へ進学しようとする人たちへのアピールの場でもある。また、対話を通じて博物館に関わるスタッフや学生も来訪者から学ばせてもらう場でもある。生涯学習社会となった現代において、大学の「第三の使命」である社会貢献の役割を大学博物館は担うべく期待されている。

2.4　記録と記憶の蓄積と提供

日本博物館協会が2003年に発行した『博物館の望ましい姿：市民とともに創る新時代博物館―博物館運営の活性化・効率化に資する評価の在り方に関する調査研究委員会報告書―』[24]では、「博物館の役割」について、

社会から託された知的資源を探求し、次世代に継承する
知的刺激や愉しさを分かち合い、新しい価値を創造する
社会的な使命を明らかに示し、開かれた運営をおこなう

という3つを挙げている。これまで筆者が述べてきたことは、ここにまとめられている。

博物館は、それぞれの館の分野に応じて、収集保管、調査研究、展示、教育普及という4つの柱のもと、資料の「記録」と「記憶」の「蓄積」と「提供」を担っている。例えば市立の地域博物館であれば、資料にまつわる市民の記憶を蓄積することが責務となる。市として記録を残すべき大きな出来事（空襲、地震、津波、オリンピック、万博など）があれば、関連する資料（戦災や災害被害の痕跡のある資料やビック・イベントに関する資料な

ど）だけでなく、その出来事を知る市民の記憶は重要な蓄積対象となる。例えば、長野オリンピックミュージアムでは、オリンピックにまつわる資料とともに、市民のオリンピックの記憶を積極的に収集し、展示している。1998年冬季オリンピック長野大会で行われた「一校一国運動」は、長野市内の学校が応援する国や地域を決め、その文化や言語を学び、児童生徒とオリンピアンが交流し、異文化理解を深めた運動である。これにより市民とオリンピックが強く結びつき、市民の記憶にはオリンピックの時の経験が深く刻まれることとなった。この運動はその後のオリンピック開催地でも継承されている。もっと大規模な形では、「ナガサキ・アーカイブ」、「ヒロシマ・アーカイブ」、「東日本大震災アーカイブ」といった記録と記憶の蓄積と提供の例もある。

大学博物館では、学術標本という資料などを「記録」として保存するとともに、関係者との対話の中で「記録」にまつわる「記憶」もまた学術的に「蓄積」されることとなる。ここでいう関係者とは、記録を制作した者、記録を管理した者、そして記録を通じて学んだ者を含み、それぞれの記憶が蓄積の対象となる。すなわち大学博物館は、退職者を含めた教職員、卒業生と在学生、そしてその保護者、さらには一般市民の方々との資料＝学術標本＝記録に関わる対話を通じて、記憶を蓄積する責務がある。大学にまつわる記録と記憶は、いずれも大学の知的生産物、「知」であり、社会貢献という「第三の使命」において市民に対し、展示としてあるいはデータベースとして「提供」、すなわち情報共有をうながすべく情報発信されるべきものである。大学博物館の担うべき役割は、大学の知の記録、大学の知の記憶、大学の知の蓄積、そして大学の知の提供であると言える。

3.　あるべき大学博物館像

冒頭で引用した文部省学術審議会学術情報資料分科会学術資料部会による「ユニバーシティ・ミュージアムの設置について（報告）」（1996年）では、ユニバーシティ・ミュージアムのもつ機能には「収集・整理・保存」、「情報提供」、「公開・展示」、「研究」、「教育」の5つがあると述べている。博物館学における博物館活動の4つの柱、「収集保管」、「調査研究」、「教育普及」、「展示」と比べると、「情報提供」という項目が増えている。この報告が強調する「開かれた大学」の窓口の担うべき役割として、これまでも行ってきた「公開・展示」以上の活動が求められていることの反映であろう。とくに画像データベースの構築とその全国的利用に言及している。しかし、実際の大学博物館の活動や役割を観察すると、この5つの機能に言及するだけでは不十分である。本章では、大学博物館がもつ機能に関する先行研究を見返した後、いくつかの国内外の大学博物館の事例に基づきながら、整理し直した6つの役割を提示し、大学博物館のあるべき姿について考察する。

3.1 大学博物館の機能に関する先行研究

先行研究としてまず、1998年に菅野が提示した「大学博物館を目的や収集展示資料を基に分類」[25]した8項目がある。

A 大学での教育研究の過程で自ら作成収集蓄積した試作品・標本・資料類の収蔵研究展示機関
B 大学での教育に利用するために入手した標本・参考資料類の収蔵研究展示機関
C 研究教育上必要な生きた教材・標本類を育成保管する機関
D 校史関係資料を収蔵展示する施設
E 創設者や著名な教師を顕彰記念する施設
F 大学での教育内容とは直結しない、大学や創設者等のコレクションを収蔵展示する施設
G 主に一般が利用する社会教育・慰楽施設
H 学芸員養成のための実習教育用施設

これは分類というよりも、大学博物館の機能を示したものである。高橋は2001年に「大学博物館の多様性については、目的や各機能の性質に着目した分類という形で明らかにされている」という文言とともに、菅野の8項目を紹介し、評価している[26]。しかし同時に、項目Hについて「実習施設であることが設置の直接的あるいは単一の動機としては見出しにくい」とも述

べている。この点は、大学博物館を設置することにより学芸員養成課程の在学生の実習施設としてすぐに活用できる有用性を過小評価するとともに、大学博物館設置の承認を得る上で学生に直接的に還元される教育施設であることを強調する有用性もまた過小評価している。

さらに守重は2004年にこの8項目を紹介しつつ整理し、CはAの範疇に含められるとして「①学術標本の収集機能」にまとめ、DとEとFは「⑤大学宣伝機能」にまとめ、大学博物館独自の機能として以下の5点を提示している[27)]。なお、[　]内はA〜Hの分類を筆者が判断してあてはめたものである。

① 学術標本の収集機能　[A・B・C]
② 学術研究機能　[A・B]
③ 研究成果の教育普及機能　[A・B・G]
④ 学芸員養成機能　[H]
⑤ 大学宣伝機能　[D・E・F]

守重のこの5分類は、前述の博物館学における博物館活動の4つの柱、「収集保管」、「調査研究」、「教育普及」、「展示」のうち、「展示」の文言が入っていない。守重としては、博物館の機能に「展示」がともなうのは自明ゆえにはずしたのであろうが、①から③までの機能も博物館としては当然保持すべきものであり、独自性に乏しい。④も地域博物館では毎年（義務ではないが）実施していることであり、一般的機能といえよう。つまるところ⑤のみが大学博物館独自の機能ということになってしまっている。続いて守重はこの5機能から、大学博物館の特性として以下の3点をあげているが、1は博物館一般にあてはまることであり、実際には2と3が特性となるであろう。

1 学術標本の収集・保管・活用
2 特定分野を深く掘り下げた専門性
3 母体となる高等教育機関との連携

安高は2014年の著作『歴史のなかのミュージアム―驚異の部屋から大学

博物館まで―』において[28]、文部省学術審議会学術情報資料分科会学術資料部会による「ユニバーシティ・ミュージアムの設置について（報告）」の機能の5分類「収集・整理・保存」、「情報提供」、「公開・展示」、「研究」、「教育」を用いて、大学の博物館の機能と役割について詳細に述べている。安高は新たな分類や機能は提示していないが、大学博物館と地域博物館[29]を対象や目的の相違から検討し、大学博物館の特徴を「学生が主役になれる博物館」であると述べている。

3.2　大学博物館の6機能

本稿では、以上の先行研究を踏まえ、一般市民に開放された大学博物館が担うべき役割、持つべき機能として、次の6つの項目を設定する。

❶　資源の集積と保管、活用
❷　研究成果の発表の場
❸　自校史、自校教育
❹　差異感のあるテーマ
❺　学芸員養成教育の場
❻　社会とのつながりを創る

まず、博物館活動の4つの柱、「収集保管」、「調査研究」、「教育普及」、「展示」に関しては、あらゆる博物館が担うべき役割としてとらえ、殊更に区分することはせず、「❶資源の集積と保管、活用」としてまとめる。次に、象牙の塔と揶揄されがちな大学の研究室の実情を反映して「❷研究成果の発表の場」の項を設け、情報公開や展示公開を図るべきとする。そして、すでに述べたように近年とくに求められている自校教育が大学の特殊事情であるとして「❸自校史、自校教育」にまとめる。❷や❸とは別に、大学は外部に対し自らをもっと宣伝、広報する必要性を意識し大学を体現する「❹差異感のあるテーマ」という項を設定する。5つ目に「❺学芸員養成教育の場」として、学芸員課程との連携について述べ、最後に、大学の第三の使命とされる社会貢献の役割を「❻社会とのつながりを創る」という項にて検討する。

❶　資源の集積と保管、活用

大学博物館は、博物館の一般的な機能にしたがい、学術標本や大学での研究・教育・行政に関わる資料を、大学の公的な資源として適切に収集（寄贈・寄託・購入を含む）し、適切に保管（保存・整理・分類）し、適切に研究（調査・情報収集・記録）し、適切に展示（情報公開・社会還元・生涯学習・教科学習）など学びのうながし（教育普及活動）に結びつけていく、すなわち適切に「活用」する場となるべきである。「活用」には、「調査研究」、「教育普及」、「展示」の3つが含意されている。

何をもって大学の知の「資源」とするかは定まっていない。研究のための学術標本類や実験器具類、教育のための教科書や教材類、大学運営のための各種書類、大学生活のための手引きや成績票、文化会の作品、体育会の表彰状など、ありとあらゆるものに「資源」となる可能性があり、「収集」の対象となり得る。安高は、地域博物館が収集保管対象とする資料と、大学博物館が対象とする資料の違いについて、前者が文化財的価値に重きを置いているのに対し、後者はすでに価値づけされたあるいは将来価値づけされるであろう学術的な価値に重きを置いていると指摘している[30)]。まさしく大学に関わる全てのものが「収集」の対象となり得るということである。

何もしなければ、ものはいずれ無くなる。そのものの価値を知らない者、関心がない者は、先人が意図をもって集めた一次資料を散逸させる。あるいは、容赦なく捨て去ってしまう。大学では起こり得ないだろうが、場合によっては価値を知り、売り払ってしまうこともあり得る。今の知識や技術や審美眼では価値を発見できなくても、将来新たな視座をもつことで発見できるかもしれない。ただし、ものを遺す側もただ単に集めてまとめておくだけでなく、それが何であるかが分かるよう整理し、一次資料にして「保管」する責務がある。とりあえず残しておこう、しまっておこうでは困る。博物館は大学の倉庫ではない。

一次資料を保管し、何を収蔵しているかを把握し、図録等を作成することが「活用」、すなわち研究につながる。現在は資料画像のデジタルデータ化とデジタルアーカイブ化が求められている。学術標本ごとにその背景となる分野での研究がまず考えられる。植物標本であれば生物学・植物学、遺跡資料であれば考古学が、近年編み出された新しい技術や新しい手法を用いて、標本の価値を再発見できる可能性がある。さらには、分野横断型の学際的研究や新たに創られた分野による研究でも、価値の再発見が起こり得るであろう。またそれとは別に、近代教育史研究の資料として扱うことも可能だろう。時間の経過で教育にはもう不適とされる学術標本にこそ、前の時代の教育の産物として歴史的な意味が生じ、「研究」の対象となり、新たな価値を付与される。まさに大学の知の記録と記憶の蓄積の活用である。大学博物館は、資料を収集し、保管し、研究でその価値を再発見あるいは創造し、「展示」を通じて活用する場である。

❷ 研究成果発表の場

過去から蓄積されたものばかりでなく、今まさに生み出されている学術研究成果も、大学の知の記録と記憶の構成要素となる。前述のとおり「教育基本法」は大学に「深く真理を探究して新たな知見を創造し、これらの成果を広く社会に提供すること」を求めている。研究者は、学会といった狭い世界での発表や論文だけでなく、その成果を社会に広めることが期待されている。確かに一般書の刊行や一般向け講演会の開催も知的な学術的成果の社会への提供である。しかし、研究者が大学や国の助成を受けた研究で成し遂げた知的な学術的成果を、もっと大学は在学生や地域社会に積極的に還元すべきであろう。その場として大学博物館にはポテンシャルがある。

大学で研究者がいったい何を研究しているのか、その成果と価値を伝えることは、現在進行形で創られつつある知の記録であり、同時代の記憶となり、蓄積され、次の時代には自校史を形づくる要素となる。

南アフリカ最大の経済都市ヨハネスブルグの中心部に位置するウィットウォーターズランド大学（University of the Witwatersrand、略称 Wits）は、南アフリカで最高ランクの研究力を誇る総合大学である。2012年に新設された大学美術館（Wits Art Museum、以下通称の WAM と記述する）の、博物館学、美学、文化人類学の議論を反映する展示について紹介する。

WAM の収蔵品は大別して 2 種類ある。ひとつは、1920年代から収集している民族学および文化人類学、社会人類学をベースとした民族誌資料である。南アフリカに居住するいわゆるバンツー系諸民族の装身具、生活用具、儀礼用具等が中心であるが、西アフリカや東アフリカの仮面、彫像、装身具、テキスタイル等も多数収蔵している。もうひとつは、1950年代から収集を開始した美学や美術史をベースにした美術作品である。ヨーロッパを出自とする南アフリカ出身の作家のみならず、バンツー系諸民族出身の作家も含め、広くアフリカの作家の作品を収蔵する。絵画、版画、素描、彫刻、そしてインスタレーション作品など多様な作品を保持している。こうした2種類のコレクションの形成には、ヨハネスブルグを拠点とするアフリカ最大規模のスタンダードバンクが、ウィットウォーターズランド大学にアフリカンアート・スタンダードバンク財団（Standard Bank Foundation of African Art）を設置し、1979年以降資金提供していることによるところが大きい。同財団の資金でアフリカンアートを収集し、スタンダードバンクとウィットウォーターズランド大学が共同で所有するというシステムとなっている。ここでいうアフリカンアートは、アフリカの地で創出されたアート的なものすべてを意味し、民族誌資料と美術作品、いずれをも含むものである。

日本語では、いわゆる「美術館」と「博物館」を峻別し語るが、欧米では区別をせずどちらもミュージアムととらえており、WAM もアートミュージアムと名乗っている。しかし、主に美術作品を扱う美術館的ミュージアムのスタッフと主に史資料を扱う博物館的ミュージアムとでは、収蔵品への接し方に違いがあった。同一のミュージアムの中でも同様の傾向があった。これは、人間が創出した物質文化に対し、あるものを「アート（美術）」、別なものを「アーティファクト（器物）」とすることであり、博物館学や文化人類学では現在、こうした分類行為自体が疑問視されるべきものとなっている。例えば、ヨーロッパのキリストの像はキリスト教美術作品とするが、アフリカの祖先をかたどった像は祖霊崇拝という目的のための儀礼具とするという場合、そこに西欧中心主義の偏見の有無という問題が見える。また、アフリカの祖先をかたどった像に対し、○○という民族の祖霊崇拝の中心的役割を担う儀礼具とする場合と、そうした文化的脈絡を考慮せずにそこに美を見いだして美術作品とする場合とがある。両者は、文化人類学と美学・美術史という学問的背景の違いだけでなく、他者の文化的背景への敬意の有無、積極的な異文化理解への姿勢の有無という問題につながる。これは、本書の筆者別稿にて、南アフリカ・ディツォング博物館（DITSONG Museums of South Africa）のンデベレの壁絵展示について述べた事例があてはまる[31]。

この分類行為自体への疑問を正面からあつかった展示が、1989年、ニューヨークのアフリカ美術館（Museum for African Art）、現在のアフリカセンター（The Africa Centre）で開催された。展覧会の名称は、「アート／アーティファクト—人類学コレクションにおけるアフリカ美術—（Art/Artifact: African Art in Anthropology Collections）」という。この展覧会は、博物館（美術館）の学芸員が、所属する館の学問的背景にしたがって、疑問に思うことなく「アート（美術）」と「アーティファクト（器物）」という分類をして展示を行ってきた事実に焦点をあてた。そして、客観的な表象の装置と信じてきた展示が、実は新たに意味を創り出す装置であることが明らかにされた。この指摘は文化人類学や美学・美術史のみならず、あらゆる分野の博物館にあてはまることであり、関係者は自らの行状を振りかえらざるを得なくなった。

WAMはこうした「アート（美術）」と「アーティファクト（器物）」という分類を乗り越え、ふたつの潮流のもとで収集されたものをひとつの館で収蔵し、展示として融合させる試みを始めている。アフリカンアート・スタンダードバンク財団の資金のもとでの収集方針もそのひとつである。WAMでは、民族誌資料と美術作品という区別をせず、同時代のアフリカ人の手による「作品」はすべてそれぞれ名前をもつ作者がおり、それぞれの文化的背景のもとに制作されているという姿勢で、精力的に収集し、展示活動を行っている。WAMの収集対象は、民族文化が色濃い「エスニック・アート」、美術マーケットに乗って売買される「ファイン・アート」、アフリカの同時代作家の「コンテンポラリー・アート」、そして土産物屋や路上で販売される「スーベニア・アート」にいたるまで幅広いが、すべてアフリカンアートの範疇である[32]。例えば、極めて昔ながらの技法を用い、同じような形をしていて、旧来からの用途に使われながら、素材はサイザル麻から廃品のプラスチック製幅広テープになったバスケットや、ンデベレの子宝人形（fertility doll）に本来は履かない靴を履かせたもの（写真１の右）や市販の人形にビーズワークを身につけさせたもの（写真1の中央と左）などは、まさしく21世紀のハイブリッドなアートとして見ることも、手近にあるものを材料とした現代に生きる人びとの暮らしを生き生きと紹介するものとして見ることもできる。

写真1　WAMの展示[33)]

以上のように、学問上の議論を反映した展示を展開するWAMの活動は、大学博物館が学術的理論実践の場として社会に新たなパラダイムを示す役割を担っていることを改めて認識させてくれている。

❸　自校史、自校教育

どの大学にもそれぞれの歩みがあり、規模の大小はあっても歴史を紹介する施設・設備があることは必須である。

本学、中京大学の場合も、1923（大正12）年に創立された母体の梅村学園が2023年には100周年を迎え、1954（昭和29）年開学の中京大学も2024年に70周年を迎える。この間に蓄積された歴史は、これまで『梅村学園七十年史（1993）』、『中京大學六十年のあゆみ（2014）』、『中京大学体育学部三十年史（1990）』、『中京大学準硬式野球部五十年史（2005）』などといった大学史書籍の形で記録されてきた。しかし、いまだ自校史を展示する施設は十分とは言えない。名古屋キャンパスのセンタービル（0号館）グランドフロア総務課総合案内のわきには、大学の年表、建学の精神などのパネルで大学史を説明するコーナーがある。また、本部棟（11号館）1階ロビーでは、各種スポーツの優勝旗や賞状、オリンピック代表団のユニフォームなどとともに、大学史資料を展示している。しかし、在学生さらには卒業生をも対象に自校史を伝えるものとして、100年、70年の歩みの記録と記憶を蓄積し提供するには、空間としても機関としても不十分である。

例えば学校法人椙山女学園の椙山女学園大学には椙山歴史文化館がある。創設者椙山正弌[34)]の生誕130周年を記念して、大学に唯一残されている昔の校舎の姿を偲ぶことができる場所に、2009年に設置されたものである。展示は、歴史展示室（1～3）、創設者紹介の部屋（4）、文化展示室（5）と名づけられた5つの部屋から構成されている。年表、解説パネルとともに、写真や創設時からの書類や大学のパンフレットなどの資料を展示している。創設者を顕彰する部屋が独立して存在する点は、私学ならではの特徴であろう。また、椙山女学園大学にゆかりのあるオリンピック1936年ベルリン大会の金メダリスト前畑秀子の展示もある。

大学博物館で自校に関わりのある人物を取り上げ顕彰する展示は、極めて一般的である。国立大学法人東海国立大学機構名古屋大学の名古屋大学博物館では、ノーベル賞研究コーナーとして、6名の受賞者を讃えるコーナーを常設展示している。国立大学法人北海道大学の北海道大学総合博物館では、クラーク博士をはじめ多くのゆかりの人物を大学の歴史とともに常設展示で紹介している。海外でも、フィンランドのヘルシンキ大学博物館（Helsinki University Museum）では各学部の紹介の中で、特に業績のあった人物を顕彰している。19世紀末から20世紀はじめに活躍し、著書『人類婚姻史』が邦訳されている人類学者エドワード・ウェスターマーク[35]もその一人で、彼がモロッコでの現地調査で収集したファティマの手などが展示されていた。台湾台北市にある国立台湾大学（國立臺灣大學）には10におよぶ博物館があるが、大学の歴史を紹介する校史館（写真2）が独立して存在している。これらの大学博物館が自校史を大学関係者向けに展示しているだけではなく、一般市民さらには国内外の観光客を対象として運営されている点は、次の❹に関連する事柄である。

大学博物館は、大学の中にある博物館というだけでなく、大学そのものが研究対象の博物館でもある。大学が創設され今日に至るまでの経緯、場合によっては大学存亡の危機となった事件や事故なども含め、創設者や功労者の記述を展示として掲げることで、学生に学びをうなが

写真2　国立台湾大学校史館の展示[36]

すことが可能となる。学生は展示をきっかけに、自らの経験として大学の歴史を体得し、知識を継承する。大学の知の記録と記憶を蓄積し、自校史を語り伝え、自校教育に結び付ける機関として、大学博物館が担うべきと期待される役割は大きい[37)]。

❹　差異感のあるテーマ

大学に遺されている史資料の陳列、大学に功績のあった人物の顕彰、教員の学術発表、それだけでは一般市民に魅力ある大学博物館となることは難しい。人びとに博物館に行ってみようと思ってもらうことは容易なことではない。1980年代から1990年代初めにかけてバブル経済の勢いで、バブル崩壊以降はその惰性で、地方自治体が競って建設した郷土博物館・資料館の事例でも明らかである。郷土博物館・資料館では、同じような歴史を同じような資料で展示する施設が市町村ごとに設立されたが、観光地でもない限り、小学生の郷土学習で活用される程度で、魅力に乏しいものであった。大学博物館になぞらえれば、戦前戦後の教育行政の中でたどった同じような大学の歴史を、教科書や学籍簿や大学行事の写真等の同じような教育史資料で展示しても、その大学の関係者に活用される程度で、魅力に乏しいものでしかない。個々の資料の価値を否定するものではないが、こうした展示は自校教育の場にはなっても、それ以上を期待することは難しい。平成の大合併、そして自治体の税収減の中で、日本全体で自治体が統廃合され、特色のない郷土博物館・資料館も徐々に統廃合された。少子化による受験生の減少による大学の淘汰が見込まれることを考えると、大学および大学博物館の将来を見るかのようである。ここで重要となるのは差異感である。

魅力ある大学博物館とは、おそらく大学そのものの魅力、すなわち大学の特色と直結するものであろう。単科大学であれば分かりやすい。多摩美術大学美術館、武蔵野音楽大学楽器博物館の例は、それぞれの大学の唯一の学部の教育・研究理念を反映させたテーマ性の高い博物館である。大学自体は複数の学部を有する総合大学であるが、特定のテーマに関する大学博物館を開設している事例としては、南山大学人類学博物館、秋田大学附属鉱業博物館、神戸大学海事博物館、大阪商業大学商業史博物館、皇學館大学佐川記念神道博物館などが挙げられる。いずれも、大学の中心的教育・研究を担ってきた学問分野の蓄積を展示している。これらの大学博物館には、前述の守重が大学博物館の特性として取り上げた3点のうちの「[2]特定分野を深く掘り下げた専門性」が差異性とともに反映されている。さらに、大学博物館が専門性を強調して差異感のある活発な活動を展開すれば、守重が大学博物館独自の5機能（の中で唯一独自性のあるもの）としてあげた「⑤大学宣伝機能」に直結することとなる。

10の学部を有する総合大学である中京大学においては、「建学の精神」が大学を体現するテーマとなるであろう。1923年（大正12年）、学校法人梅村学園の母体である中京商業学校開設にあたり、創立者の梅村清光は「学術とスポーツの真剣味の殿堂たれ」と建学の精神を謳いあげた。そして、中京大学の創立者であり初代学長である梅村清明は、建学の精神について「学術に真剣であらねばならぬことは、学問の府として、洋の東西を問わず、すべて当然のこととして要求される。わが学園は、学術と並んでスポーツによる教育を、二大方針の要として高揚している。「スポーツの真剣味の殿堂たれ」の教育方針は、学術とスポーツは二つながらにして一体を志向し、車の両輪の如く人間形成、人格形成に如何に重要な役割を果たしているかを強調しているものである。ここにわが学園の独自性が存する」と語っている[38)]。こうした考えを軸にし、10学部を有する総合大学・中京大学ならではの学術とスポーツが融合した学際的研究成果を大学博物館において発表・展示することこそが、「特定分野を深く掘り下げた専門性」を反映し、大学を体現する差異感をもったテーマを外部に発信することとなるであろう。

大学博物館は、大学が生み出してきた「知的資源」の記録と記憶を蓄積し提供する機関である。それは、過去から連綿と受け継がれてきた大学の「遺産（Heritage）」を保存していく責務をもつ場であるとともに、将来に向けて大学の「遺産（Legacy）」として受け渡していく責務をもつ場でもある。大学の設立趣旨や実践してきた特色ある教育を意識し、その歴史性や継続性を強調するとともに、他大学との差異感を構築することが、大学博物館には必要である。

前の❸で取り上げた「自校史、自校教育」と本節の「大学を体現する差異感のあるテーマ」という大学博物館の機能は、大学の魅力の発信の内向きのベクトルと外向きのベクトルととらえることができる。前節は大学内部に、本節は大学外部にというベクトルである。とくに本節の内容は、一部の人びとを展示対象者として明確に意識する必要がある。一部の人びととは高校生とその保護者である。いわゆる「2018年問題」を持ち出すまでもなく、日本全国の人口減少、とくに18歳以下の人口が減少期に入ったことで、今後の大学運営環境に大きな影響をおよぼすことは周知の事実である。受験者、そして入学者の確保のために大学はより一層、自らの優れた点をアピールする努力が求められる。こうした広報宣伝活動の一環として、大学のこれまでの歩み、志すところ、魅力、差異感を発信するチャンネルのひとつである大学博物館のもつポテンシャルには期待が寄せられるであろう。

❺　学芸員養成教育の場

学芸員養成課程では、1952（昭和27）年に「博物館法施行規則」が制定されて以来、大学において修得すべき「博物館に関する科目」が定められている。その科目数の変遷は次の表のとおりである。2009(平成21)年の「博物館法施行規則の一部改正」は2012（平成24）年に施行され、2012年度に

表　学芸員養成課程必須科目数の変遷（選択科目は除く）

1952（昭和27）年		1997（平成９）年		2009（平成21）年	
社会教育概論	1	生涯学習概論	1	生涯学習概論	2
博物館学	4	博物館概論	2	博物館概論	2
		博物館資料論	2	博物館資料論	2
		博物館経営論	1	博物館経営論	2
				博物館資料保存論	2
				博物館展示論	2
		博物館情報論	1	博物館情報・メディア論	2
視聴覚教育	1	視聴覚教育メディア論	1		
教育原理	1	教育学概論	1	博物館教育論	2
博物館実習	3	博物館実習	3	博物館実習	3
５科目10単位		８科目12単位		９科目19単位	

入学した学生から９科目19単位の学修が求められている。この間一貫して、「博物館実習」３単位が課せられている。

「博物館実習」に関しては、「博物館法施行規則」第２条第１項で、以下のように、博物館法に基づく登録博物館あるいは博物館相当施設において実施するものとされている。

> 第２条　前条に掲げる博物館実習は、博物館（法第２条第１項に規定する博物館をいう。以下同じ。）又は法第29条の規定に基づき文部科学大臣若しくは都道府県若しくは指定都市（地方自治法（昭和22年法律第67号）第252条の19第１項の指定都市をいう。以下同じ。）の教育委員会の指定した博物館に相当する施設（大学においてこれに準ずると認めた施設を含む。）における実習により修得するものとする。

博物館実習は、学内実習と館園実習からなり、上記の条文は館園実習の部分を説明したものである。なお学内実習は、見学実習と実務実習、そして館園実習の事前指導・事後指導からなる。

2007（平成19）年度に日本全国の大学で学芸員資格を取得した学生の数は10,427人である[39]。当時の社会教育調査のデータを見ると2005（平成17）年度の登録博物館の数は865館、博物館相当施設は331館、合計1,196館である[40]。１館あたり10人近くの博物館実習生を受け入れている計算になる。実際には館によって受け入れ人数には差があり、全く受け入れていない館もある。小規模な博物館では、日常業務に支障をきたすという理由で、受け入れることができないのも実情である。１万人の博物館実習生のうち、99％は博物館学芸員とはならず、別な分野に就職する。それにもかかわらず資格取得のための博物館実習を希望する学生を受け入れる博物館側の負担は大きい。文部科学省生涯学習政策局が設けた「これからの博物館の在り方に関する検討協力者会議」が2007年に取りまとめた「新しい時代の博物館制度の在り方について（報告）」[41]では、受入側である博物館に過度の負担がかからないような配慮を求めている。また、文部科学省が2009年の博物館法施行規則改正時に作成した『博物館実習ガイドライン』[42]にもその内容が引用されている。

こうした状況下で、学芸員養成課程をもつ大学では自前の大学博物館を設立して博物館実習を実施することが望ましいとする向きもある。学内の実習であれば課程内の講義科目と連動した内容とすることができ、学芸員としての実務能力をより高めるカリキュラムを提供できると考えてのことである。確かに、大学博物館と学芸員課程を結び付けることで双方の可能性が広がるであろう。ただそれは学内での実務実習の一環とするべきと考える。学外の博物館で実習を行わないことで、大学博物館でスキルを高めた学生が、異なるスキルや新たな知識を得る機会を失うことは避けたい。

大学教育として学芸員課程があり、その重要な１科目である「博物館実習」を充実させるために、学内に博物館実習室を設けるとともに大学博物館を設置することで、多様な経験の機会を学生に提供することが可能となる。資料を整理し、調査し、展示の企画を立案し、予算案を考え、教育プログラムを案出する。これらを机上ではなく、展示室内で表現できることが、大学博物館の最大の魅力である。学芸員養成教育の場としての大学博物館の担う役割は大きい。

日本全国の300ほどの大学および短期大学が、年間１万人の学芸員資格を持つ学生を送り出しながら１％しかその資格を活かした職についていないという現状の第一義的な問題は、博物館での学芸員としての雇用が少ないことにある。博物館法の不備による博物館および学芸員の位置づけの曖昧さが、登録博物館や博物館相当施設にならない博物館類似施設を増やし、学芸員のポストの増加につながらなくなっている。しかし、大学側にも学芸員として十分に知識と技能をもつ人材を養成できているのか、養成する環境を整えているのかという問題がある。

博物館が学芸員の新規雇用にあって一番重視するのは専門性である。歴史系博物館であれば歴史学や考古学、美術館であれば美学や美術史学、自然史系の博物館であれば生物学などといった理系分野で学んだ者を求める。大規模な館であれば、その専門も細分化され、さらに修士・博士課程を経た者を求め、その上で学芸員資格を有する者を採用するのである。しかしこの時、学芸員課程で学んだ博物館学関連諸科目がどのように専門分野と結びついているだろうか。理想的には、学部教育で学ぶ専門教育の内容を博物館で活用できるような学芸員課程での博物館学の学びが求められる。これは大学が学芸員養成のための専門学校と化すことを意味するものではない。博物館学の学問的体系として、現在の一般論の展開だけではなく専門毎の体系化が必要であろうということである。日本学術会議史学委員会の「博物館・美術館等の組織運営に関する分科会」は2020年8月に、「博物館法改正へ向けての更なる提言〜2017年提言を踏まえて〜」[43]を発表した。ここで検討されている「学芸員の区分の設定」による「一種学芸員」の導入やリカレント教育、大学院における博物館学コースの設置などは、まさしく博物館学の学問的体系の再構築に結びつくことである[44]。

今後大学には、広範かつ高度な学芸員養成教育が求められるとともに、その教育の場として大学博物館を持つことも必ず求められてくるであろう。大学博物館の担うべき役割は一層重要になる。大学が、学芸員養成課程を大学教育カリキュラムとして維持するのであれば、大学博物館の設置と充実は必須となっていくであろう。大学博物館を持っていない大学は、学芸員養成課程の実習施設を（単一ではないにしても）直接的目的として大学博物館を設置することもあり得る。

❻ 社会とのつながりを創る

これまで繰り返し述べてきたが、時代は大学に変革を要請しており、その大きな柱が「開かれた大学」という姿勢であり、「第三の使命」とされる「社会貢献」という実践である。大学の教育や研究も長い目で見れば十分に社会貢献といえるであろうが、より直接的に社会への還元をめざした取り組みとしては、大学の知見を生かした国際協力や公開講座、産学連携、地域課題の解決、地域の人材養成などが挙げられるであろう。基本的に社会教育機能をもつ大学博物館は、大学の社会貢献の窓口という役割を期待されている。

先に紹介した南アフリカのウィットウォーターズランド大学のWAMの事例を、もうひとつ取り上げる。2017年、本書筆者別稿にて取り上げた「海外博物館研修」として国際文化専攻の学生4名をともなってWAMを訪問し、ジュリア・チャールトン上級学芸員[45]から、WAMの設立趣旨や展示方針の説明を受け、収蔵庫を見学させてもらった。

この日のWAMでは、見学に来た小学生のグループが大学生によるワークショップを受けていた。チャールトン上級学芸員の語ったことばが印象に残っている。

> 南アフリカの義務教育ではアートは必修科目ではなく、多くの子どもたちにとって美術館に来るのもこれが初めてで、ここでのワークショップが最初の「美」の体験となる。このアートへのファーストコンタクトをしっかりとらえることで、博物館や美術館への将来のアクセスを容易にさせたい

WAMでは近郊の小学生をランチ付きで招待し、チャーターしたバスで送迎し、アートの普及に努めている。費用はWAMが寄付を集め、負担している。別な機会には中学生の団体も来ていた。生徒同士が展示資料を見ながら語り合っている姿がとても印象的であった（写真3）。

写真３　中学生の見学の様子[46)]

学校教育を補う社会教育の現場を見て、大学博物館には社会に積極的に関わる責務があることを痛感した。いかに社会に貢献すべきかを常に意識し、在学生への学びの提供だけではなく、南アフリカの教育レベルの向上を目指して積極的な活動を行っているWAMに学ぶべき点は多いと考える。

4.　今後の大学博物館

富裕層や特権階級がブンダーカンマーで収集・保管した知的資源の系譜は、調査・研究による知の再編に至り、一般市民への展示・公開から啓蒙・教育をうながす機関として博物館を発展させた。この博物館の公開と一般市民への教育という19世紀の出来事と同じことが、今、日本の大学博物館に

情報発信と社会貢献として求められている。近代的博物館は、上流階級にのみ享受を許されていた「知」や「美」を一般市民に開放すること、すなわち「公開」することで、成立したとされている。今さらに「情報発信」を求められている日本の大学博物館は、いまだ前近代的な存在なのだろうか。

「タウン・アンド・ガウン」('Town and Gown')。この言葉は、オックスフォードやケンブリッジのような学園都市で、一般市民のコミュニティと大学関係者のコミュニティが対立する様子を言い表すときに用いられる。日本の大学の場合、特別なコミュニティを形成することはなく、コミュニティの対立という現象はないが、大学の構内と地域社会との間に物理的な塀以上の大きな隔たりがあることは事実であろう。1996年の文部省学術審議会学術情報資料分科会学術資料部会による「ユニバーシティ・ミュージアムの設置について（報告）—学術標本の収集，保存・活用体制の在り方について—」から、文部科学省中央教育審議会による2005年の「我が国の高等教育の将来像（答申）」、2008年の「学士課程教育の構築に向けて（答申）」に至るまでの流れは、大学の知的財産の占有、場合によっては死蔵を批判し、広く一般市民への情報公開・発信をうながし、開かれた大学となって社会に貢献することを要請している。「タウン・アンド・ガウン」を越えて（Beyond 'Town and Gown'）」、大学の知的資源を用いて広く社会に貢献する姿勢が大学には求められており、大学博物館はその発信の窓口のひとつとして想定されている。

前章で大学博物館が持つべき6つの機能を提示した。これらはいずれも次のように情報公開・発信に結びつくものととらえることができる。

❶資源の集積と保管、活用	大学が蓄積する「知」の発信
❷研究成果の発表の場	大学が生産する「知」の発信
❸自校史、自校教育	大学がたどった「知」の発信
❹差異感のあるテーマ	大学を体現する「知」の発信
❺学芸員養成教育の場	大学が育成する「知」の発信
❻社会とのつながりを創る	大学の社会への「知」の発信

しかし社会や時代が大学に求めていることは一方的な発信、すなわち供与

だけであろうか。大学が有する人的資源とその知的資源の量的な優位性はあるかもしれないが、大学単独では補えない産学連携における経済力や官学連携における政策実行性もある。大学からの一方的な発信ではなく、大学と社会が連携し双方向的な送受信による新たな「知」の創造こそが求められているのである。大学博物館での活動については、すでに「記録と記憶の蓄積と提供」の項で「関係者との対話」の重要性を指摘している。大学博物館としての今後の課題のひとつは、大学の「知」の発信のためにこうした「社会との連携」、「関係者との対話」のチャンネルを創出し、維持し、発展させることにある。

デジタル化の進む現代社会において、情報発信・公開もまたデジタル化している。いかに資料を展示し、公開し、図録を発行していても、インターネット上で検索できなければ存在自体を認識されないのが実情である。大学博物館による大学の「知」の発信は、デジタルアーカイブという形で現在進行している。2020年に全世界を襲った新型コロナウイルスCOVID-19による感染症は、人びとに距離をとることを強い、人びとが集う機会を奪った。リアルな来館とリアルな対話が厳しく制限される中、世界中の博物館がインターネット上のコンテンツを増やし、コロナ禍の後、利用者が速やかに戻ってくれることを祈って、存在自体をアピールするかのように発信している。社会のリモートによる対話がコロナ禍以降も続くであろうように、博物館によるインターネットによる発信も続くであろう。資料や美術作品と対峙して感動を味わうリアルな経験が否定されて無くなることはないだろうが、バーチャルな経験もまた別種の感動を引き起こすものであり、軽視することはできない。インターネット上での検索で未知なるものに巡り合い新たな知識を得る可能性は、無限に広がっている。2020年8月に開設された、各種の博物館を含むさまざまな研究機関が参加する分野横断型検索サイト「ジャパンサーチ」は、今後その実例となるであろう。大学博物館が積極的に知的資源をデジタル化し、インターネット上に公開することは、社会への発信であり、まさしく社会貢献に直結する。今後さらに大学博物館のデジタルアーカイブの重要性は増すであろう。

謝辞

本研究は、2020年度中京大学内外研究員制度（国内研究員）の助成を受けたものである。またこの国内研究員期間中、大学共同利用機関人間文化研究機構国立民族学博物館人類文明史研究部に特別客員教授として所属し、本研究を取りまとめることができた。なお本研究の一部は、文化科学研究所研究プロジェクト「博物館研究プロジェクト」として中京大学から助成を受けたものであり、またJSPS科研費JP15H01910（代表：吉田憲司、研究課題名：アフリカにおける文化遺産の継承と集団のアイデンティティ形成に関する人類学的研究）、JP15H01780（代表：須藤健一、研究課題名：ネットワーク型博物館学の創成）、およびJP16H01867（代表：來田享子、研究課題名：身体文化の多様な価値を共有するためのスポーツ・アーカイブズのモデル構築）の助成を受けたものである。関係各位ならびに機関に深謝の意を表する。

付記

本稿は、2018年9月18日に中京大学第12回先端研究交流会「特集：中京大学の戦略的研究を考える―大学附置研究所からの提案―」において、文化科学研究所の斉藤尚文現代社会学部教授を代表とする研究プロジェクト「博物館研究プロジェクト」のメンバーとして発表した「Town and Gown：大学博物館の創るつながり」をもとに、加筆修正したものである。本グループは2013年度に結成し、2014年度から活動を始め、2015年度から2018年度まで文化科学研究所予算を用い研究活動を行った。以降も文化科学研究所研究プロジェクトとして活動しているが、2019年度及び2020年度は、先端共同研究機構の戦略的研究プロジェクトに採択された佐道明広総合政策学部教授を事業責任者とする「スポーツ・デジタルアーカイブズ共同研究」から予算を得た。

注

1）文部科学省 2020参照。
2）伊能秀明・織田潤 2006（181校281館園）、緒方泉 2007（161校204館）、伊能秀明 2007（130大学162館）をもとにした数値。
3）何をもって博物館とするかは博物館法にも関わる問題であり、ここでは論じない。
4）学術審議会学術情報資料分科会学術資料部会 1996参照。
5）林良博 2007参照。
6）西野嘉章 1996　pp. 31–32参照。
7）日本高等教育評価機構 2018参照。
8）文部科学省中央教育審議会 2008　p. 36参照。
9）大川一毅 2011　p. 60参照。
10）筆者は「中京大学を知る」の講義担当者であり、中京大学スポーツミュージアムの開館および運営にも関わっているが、その経緯は別稿に譲ることとする。

11）文部科学省中央教育審議会 2005参照。
12）伊能秀明・織田潤 2006、伊能秀明 2007、緒方泉 2007参照。
13）赤澤威 1989、熊野正也 1992参照。
14）「博物館」という言葉には、歴史系の博物館から美術館、科学館、植物園、水族館、動物園まで多様な館種が包含されている。本稿ではとくに断りのない限り、広く博物館一般を「博物館」と表現する。
15）「博物館法」第2条第1項より。総務省行政管理局 e-Gov 法令検索 2019b 参照。
16）多様な館種によって、またその資料自体の在り様によって、史料、作品、資料、標本等と呼称が変わる資料一般に対し、本稿では「資料」と表現する。
17）Cameron 1971参照。
18）筆者は以前の拙稿でも同様のことを述べている。亀井哲也 2018参照。
19）「教育基本法」第7条第1項より。総務省行政管理局 e-Gov 法令検索 2006参照。
20）「学校教育法」第83条第1項及び第2項より。総務省行政管理局 e-Gov 法令検索 2019a 参照。
21）腊葉標本（さくようひょうほん）とは、いわゆる押し葉標本で、自然史標本の一種。
22）液浸標本（えきしんひょうほん）とは、保存のためにホルマリンなどの薬液に浸した標本。
23）基準資料とは、一般的にある資料を同定する際に用いられる資料で、生物学等では基準標本、タイプ標本、模式標本と呼ぶ。
24）日本博物館協会 2003参照。
25）菅野和郎 1998　p. 12参照。
26）高橋有美 2001　pp. 53–54参照。一部、転記に誤りがある。
27）守重信郎 2004　p. 211参照。
28）安高啓明 2014　pp. 181–239参照。
29）地域博物館とは、地方自治体（県市町村）単位で設置される博物館・資料館一般を意味する。
30）安高啓明 2014　pp. 234–235参照。
31）本書第2章「大学教育と博物館展示の協働―ンデベレ文化を教材として―」p. 56
32）こうした名称や分類は、資料を類別するためにあるものであるが、類別すること自体に偏見や差別意識が潜む可能性があることを常に認識すべきである。
33）筆者撮影 2015年8月26日。
34）椙山正弌（すぎやままさかず）。
35）エドワード・ウェスターマーク（Edvard Alexander Westermarck）、1862–1939。
36）筆者撮影 2016年3月7日。
37）日本私立大学連盟が隔月で刊行している『大学時報』第382号（2018年9月号）では、「自校史と大学博物館」という特集を組み、各大学の自校教育と大学博物館の関わりについて紹介している。
38）中京大学ホームページ「校訓・建学の精神」参照。
39）文部科学省中央教育審議会 2010　p. 44参照。日本全国の300大学および17短期大学に学芸員養成課程がある。

40）文部科学省総合教育政策局調査企画課 2006a および2006b 参照。なお、登録博物館865館、博物館相当施設331館の他に、博物館類似施設が4,452館あり、合計5,648館となるが、基本的に博物館類似施設は博物館実習の受け入れ先にならない。

41）文部科学省生涯学習政策局・これからの博物館の在り方に関する検討協力者会議 2007参照。

42）文部科学省 2009参照。

43）日本学術会議史学委員会博物館・美術館等の組織運営に関する分科会 2017、2020参照。

44）佐々木・吉住は2014年の論文で、地域の文化振興への貢献もあることを指摘している。p. 221参照。

45）ジュリア・チャールトン上級学芸員（Mrs. Julia Charlton, Senior Curator of WAM）

46）筆者撮影2015年 8 月20日。

参考文献

赤澤　威　1989 「大学博物館について考える　東京大学総合研究資料館を例として」、『Museum Kyushu: 文明のクロスロード』8(3)　pp. 48–53　博物館等建設推進九州会議

伊能秀明（監修） 2007 『大学博物館事典』日外アソシエーツ

伊能秀明・織田潤　2006 「資料　日本のユニバーシティ・ミュージアム2006」『明治大学博物館研究報告』11　pp. 15–39　明治大学博物館事務室

大川一毅　2011 「大学における自校教育の導入実施と大学評価への活用」 https://iwate-u.repo.nii.ac.jp/?action=repository_uri&item_id=8782&file_id=36&file_no=1（2020年11月 3 日最終閲覧）

緒方　泉(編） 2007 『日本ユニバーシティ・ミュージアム総覧』昭和堂

亀井哲也　2018 「社会のつながりと再分配のメリット―ンデベレ社会とミュージアムから―」『現代社会学部紀要』特別号（通巻62号） pp. 147–158　中京大学現代社会学部

学術審議会学術情報資料分科会学術資料部会　1996 「ユニバーシティ・ミュージアムの設置について（報告）：学術標本の収集，保存・活用体制の在り方について」http://mg.biology.kyushu-u.ac.jp/Yoneda_DB/J/DOCs/gakushin/UnivMuseum.html（2020年11月 3 日最終閲覧）

菅野和郎　1998 「視座・大学博物館の現状と課題」『博物館ニュース：SHU』14　pp. 12–13　玉川大学教育博物館

熊野正也　1992　大学博物館のあるべき姿への一試論」『明治大学学芸員養成課程紀要 Museum study』3　明治大学学芸員養成課程　https://m-repo.lib.meiji.ac.jp/dspace/bitstream/10291/5332/1/museumstudy_3_7.pdf（2020年11月 3 日最終閲覧）

佐々木奈美子・吉住磨子　2014 「博物館相当施設という選択と大学博物館」『佐賀大学文化教育学部研究論文集』19(1)　pp. 217–227　佐賀大学文化教育学部

総務省行政管理局 e-Gov 法令検索
2006 「教育基本法」https://elaws.e-gov.go.jp/search/elawsSearch/elaws_search/lsg0500/detail?lawId=418AC0000000120（2020年11月3日最終閲覧）
2019a 「学校教育法」https://elaws.e-gov.go.jp/search/elawsSearch/elaws_search/lsg0500/detail?lawId=322AC0000000026（2020年11月3日最終閲覧）
2019b 「博物館法」https://elaws.e-gov.go.jp/search/elawsSearch/elaws_search/lsg0500/detail?lawId=326AC1000000285（2020年11月3日最終閲覧）
高橋有美　2001 「大学博物館に関する序論的検討：大学との関連性を中心に」『生涯学習・社会教育学研究』26　pp. 51–58　東京大学大学院教育学研究科生涯教育計画講座社会教育学研究室紀要編集委員会　https://repository.dl.itc.u-tokyo.ac.jp/?action=repository_uri&item_id=25176&file_id=19&file_no=1（2020年11月3日最終閲覧）
中京大学ホームページ「校訓・建学の精神」https://www.chukyo-u.ac.jp/information/about/a8.html（2020年11月3日最終閲覧）
西野嘉章　1996 『大学博物館：理念と実践と将来と』東京大学出版会
日本学術会議史学委員会博物館・美術館等の組織運営に関する分科会
2017 「21世紀の博物館・美術あるべき姿——博物館法の改正へ向けて（提言）」
2020 「博物館法改正へ向けての更なる提言〜2017年提言を踏まえて〜」
日本私立大学連盟　2018 「特集 自校史と大学博物館」『大学時報』第382号　pp. 30–67
日本高等教育評価機構　2018 「大学機関別認証評価　大学評価基準（平成30年度版 平成29年4月改訂）」https://www.jihee.or.jp/achievement/college/pdf/hyokakijyun1704.pdf（2020年11月3日最終閲覧）
日本博物館協会（編）　2003 『博物館の望ましい姿：市民とともに創る新時代博物館―博物館運営の活性化・効率化に資する評価の在り方に関する調査研究委員会報告書―』日本博物館協会
林　良博　2007 「大学博物館の現状と未来（特集　博物館が危ない！　美術館が危ない！）」『学術の動向』第12巻第2号　pp. 18–23　日本学術協力財団
守重信郎　2004 「大学博物館における教育普及活動の研究―展示と展示解説―」『日本大学大学院総合社会情報研究科紀要』No. 5　pp. 209–220　日本大学大学院総合社会情報研究科　https://atlantic2.gssc.nihon-u.ac.jp/kiyou/pdf05/5-209-220-morisige.pdf（2020年11月3日最終閲覧）
文部科学省
2009『博物館実習ガイドライン』https://www.mext.go.jp/b_menu/shingi/chousa/shougai/014/toushin/__icsFiles/afieldfile/2009/06/15/1270180_01_1.pdf（2020年11月3日最終閲覧）
2020 「報道発表：令和2年度学校基本調査（速報値）の公表について（令和2年8月25日　）」https://www.mext.go.jp/content/20200825-mxt_chousa01-1419591_8.pdf（2020年11月3日最終閲覧）
文部科学省生涯学習政策局・これからの博物館の在り方に関する検討協力者会議　2007

「新しい時代の博物館制度の在り方について（報告）」https://www.mext.go.jp/b_menu/shingi/chousa/shougai/014/toushin/07061901.pdf（2020年11月3日最終閲覧）
文部科学省総合教育政策局調査企画課
2006a 「社会教育調査 平成17年度 統計表 博物館 91 設置者別登録博物館及び博物館相当施設別博物館数」政府統計の総合窓口（e-Stat）より
2006b 「社会教育調査 平成17年度 統計表 博物館調査（博物館類似施設）122 設置者別指定管理者別博物館類似施設数」政府統計の総合窓口（e-Stat）より
文部科学省中央教育審議会
2005 「我が国の高等教育の将来像（答申）」https://www.mext.go.jp/b_menu/shingi/chukyo/chukyo0/toushin/05013101.htm（2020年11月3日最終閲覧）
2008 「学士課程教育の構築に向けて（答申）」https://www.mext.go.jp/component/b_menu/shingi/toushin/__icsFiles/afieldfile/2008/12/26/1217067_001.pdf（2020年11月3日最終閲覧）
2010 「中央教育審議会生涯学習分科会（第54回）参考資料1「今後の課題等の例」に関する参考資料―データ編―」https://www.mext.go.jp/b_menu/shingi/chukyo/chukyo2/siryou/__icsFiles/afieldfile/2010/11/11/1298599_5.pdf（2020年11月3日最終閲覧）
安高啓明 2014 『歴史のなかのミュージアム―驚異の部屋から大学博物館まで―』昭和堂
Cameron, D. F., 1971, “The Museum, a Temple or the Forum”, *Curator: The Museum Journal*, 14–1.

第６章

大学博物館の来館者による評価

村上 隆・谷岡 謙・堀 兼大朗

1. 大学博物館において来館者調査がもつ意味

1.1 中京大学スポーツミュージアム

本章では、2019年10月23日に開館し、翌日から一般公開された中京大学スポーツミュージアムに、10月24日から10月27日までの４日間に来館した人たちに対して実施した調査の結果について述べる。中京大学スポーツミュージアムの中心となるコンセプトは、「スポーツと社会との繋がり」、「スポーツとその時代に生きた人々」であり、中京大学に在籍したオリンピアン、パラリンピアン92名の関係資料を中心に、オリンピックの光と影の両面を学術、文化の面から評価する展示を行っている。

1.2 大学に設置される博物館の意義

大学に博物館が設置される目的は何だろうか。また、その機能とはどのようなものだろうか。第一に、大学が保有する学術的、文化的な価値のある物品や資料といった資源を、できる限り良い状態で保管することが考えられる。学術・文化の資源を収集・管理してその散逸を防ぎ、良好な状態に保ちながら維持することは大学博物館の大きな使命である。

第二に、保管する資源を適切な形で、一般の観覧に供することは、大学の個性の表現となり、そのブランド機能を高めることにつながる。それは、大学全入時代と言われる今日、当該大学の個性に適合した学生の募集につなげることができる可能性があるとともに、地域に開かれた大学として、博物館を通じて地域の文化を高める、一種のサービス機能を発揮できるという期待もある。

第三に、学芸員課程をもつ大学においては、学生の実習施設としての博物館を設置することは必須である。さらに、近年の自校教育の機運の高まりから、資格取得志望者に限定されない広い範囲の学生に対する教育機能が期待されるようにもなってきている。

このように多様な役割・機能が十分に発揮されているかどうかは、当然ながら様々な方法で評価される必要があるが、ここでは、一般的に社会調査とよばれる方法を用いた来館者による評価を考えることとする。最初に、国内において今までに公刊されている博物館の来館者調査について概観することにしよう。

1.3　調査的方法による博物館の評価

少なくとも国内に関する限り、博物館研究において、来館者に対する調査、特に来館者による博物館展示に対する評価を行った研究報告は多くない。川嶋–ベルトラン（2002）は、博物館の収集・保全機能や研究・調査機能面の評価には、来館者調査は相対的に利用価値が小さいとし、来館者調査がある程度有効なのは、博物館の学習・普及面への調査であるとしている。その上で、多くの博物館が行っている、出口に調査票を積み上げておき、回答するかどうかを個々の来館者に任せている方式の不十分性を指摘し、サンプリングと結果の信頼性に関心を払うことを勧めている。たとえば、大きさ2,000のサンプルを収集するために、毎日１時間に一人の来館者を対象に出口で調査するといった具体的な提案もある。

著者である川嶋–ベルトランは、フランスの「博物館博覧会調査研究センター」（サンティチェンヌ大学）に所属、同大学で学位も取得した研究者であり、来館者評価の方法と活用に関する国際標準を提示していると思われ、その後の研究に大きな影響を与えたようである。

たとえば、加藤（2007）は、調査票の「出口山積み方式」に代えて、「入口で観覧券の発行に併せてアンケート用紙と記入用の簡易鉛筆を来館者に手渡し、回収は出口付近の専用ボックスに入れてもらう方式」で国立民族学博物館（大阪府吹田市）の特別展の来館者調査を実施している。この方式による回収率は17.2%であったが、それでも通常の回収率は2%前後とされており、大幅な改善であるという。倉田・矢島（1993）は、方法的には「出口山積み方式」のようであるが、評価対象を展示（おもしろいか、つまらないか、何か印象に残ったか、見やすかったか、解説はわかりやすかったかなど）に絞り、複数の博物館の来館者の反応を比較している。他方、菅井（2009）は6名の対象者に、繰り返しインタビューを実施することにより、博物館のリピーターが、対象とのかかわり方や視点を変えていくことを通じて、自身の「知」のあり方を改革していく過程を明らかにしようとしている。

以上は、アプローチは異なっても博物館の学習・普及面の評価を来館者調査によって行おうとするものであるが、その一方で、多くの博物館には経営的観点も必要であるとして、必ずしも学習・普及面に限定しない来館者調査も行われている。たとえば、平田（2002）では、マーケティングの観点から調査に関するさまざまな工夫や、それを展示のみならず、経営面の改善に活かす事例が紹介されている。

調査によって得られたデータ分析に目を転じると、多くは質問項目単位の単純集計にとどまっているが、一部に単純集計を超えた分析が行われている研究も見られる。まず、博物館の科学リテラシー、ミュージアムリテラシー、博物館活用力という観点から来館者調査を実施した田代・中村・小山(2010)は、科学技術館（東京都千代田区）をフィールドとして、来館者に、興味喚起度、知識獲得度、満足度を尋ねるとともに、これを、来館者本人のデモグラフィックな属性や来館理由、教科としての「理科」への関心度といったものとの関連を分析している。これにより、「展示効果の結果だけを知る」ことにとどまらず、「どのような素養の者に、どのような来館目的の者に、博物館がどのような効果をもたらしたか」を明らかにしようとしている。より高度なデータ分析の技法を適用した研究としては、関東地方の8つの博物館すべてを訪問したことのある回答者のイメージ調査と順位評定データにもとづき、8つの博物館のポジショニングと因子分析によるイメージ空間内での位置づけを目指した上田・上田（2019）がある。この研究では、因子スコアを独立変数とし、来館者の属性別に実施された重回帰分析から、どのような属性をもつ来館者が、どのような博物館を、どういう理由で好んでいるか、を明らかにしようとした。

また、たいていの来館者調査の調査票には、自由記述欄が設けられる。ただし報告にあたっては、多くの場合、著者の主張に合致した内容の記述をピックアップして掲載することが多い。自由記述の分析の、より客観的な取り扱いについては、静岡県立美術館への来館者の調査データをテキストマイニングの手法を用いて分析した伊藤（2007）が先駆的業績として注目される。

1.4 調査的方法による大学博物館の評価

大学博物館の来館者調査に関する公刊された研究は、さらに少ない。小井土・栖崎・東條（2019）は、大学博物館の貴重書展示の機会に、学芸員課程の履修者を含む所属大学生に学外者を含めた来館者調査を行っている（N=288、回収率35.1%）。分析は単純集計にとどまっているが、満足度の5段階評定において、「大変満足」が52.1%、「やや満足」が39.9%と評価が著しく高い方に偏っていることは、本章で扱う調査の結果の評価にあたって参考になる。また、学外者が博物館の特別展示を知った理由としてSNSの割合が約45%に上っていることも注目される。

東田（2003）は、大学博物館で来館者に（山積み方式で）実施される紙媒体による調査票の分析を容易にするためのデータベース構築に関するテクニカル・レポートである。こうしたいわばバックヤードのシステム構築の作業は、来館者調査を研究成果として発表するために大きな助けになるものと思われるが、現時点でそうした論文は刊行されていないようである。

淺野・小出（2014）は、来館者ではなく、調査会社のモニターによる大学博物館のイメージ調査である。実際にどこかの大学博物館に来館した経験がある者は全サンプルの9.1%にすぎず、約72%は大学博物館の存在すら知らなかったという調査結果であるが、なぜ大学博物館の「敷居が高い」のかを検討する材料としては役立つと考えられる。

1.5　本研究の目的

以上のように、大学博物館の来館者による評価は、多くの博物館において恒常的に行われているとはいえ、その結果がまとめられ公刊されている例はほとんどない。本研究はそうした意味で、まずは大学博物館研究のニッチェを埋める意味があると思われる。

それに加えて、本研究では従来の博物館研究における問題点のいくつかを解決することを目指す。その第１点は、データの集め方である。通常行われている「博物館アンケート」は前述のように「出口山積み方式」で行われることが多かったが、本研究では、入館前の来館者全員に、できるだけ調査票を渡し、さらに出口において記入できる場所を用意して、回収率を高めるとともに、調査対象者の記憶によるだけでなく、入館中の印象をなるべく正確にとらえられるように工夫した。

第２点は、データ分析の方法についてである。前述のように、来館者評価を扱った国内の研究においては、大部分が質問項目の単純集計にとどまっており、クロス集計まで進めた例は少なく、多変量解析の手法を用いたものはごく少数である。また、自由記述についても、テキストマイニングを単独で用いた研究に限られ、通常の質問項目への反応と関連づけた研究はまだないようである。博物館来館者は、多くの場合自発的な訪問者であり、極端に悪い評価をつけることは少なく、先の小井土・楢崎・東條（2019）に見られるように、概して高い方に偏った評価をするのが普通のようである。したがって、単純集計で満足度が高いことを示しても、それほど意味があるわけではない。それよりも、田代・中村・小山（2010）が指摘するように、どのような属性の来館者が、博物館のどのような側面を評価しているのかが明らかになるような分析を行う必要がある。そのために、調査票の質問内容についても、それなりの準備を行うとともに、このデータに適切と思われる分析方法を適用する。

加えて、自由記述の計量テキスト分析も、それだけで閉じた形をとるのでなく、全対象者に共通の質問項目への回答と何らかの形で関係づけた分析を行うことが望ましい。本研究では、そうした点に十分配慮した分析を行った。

［村上　隆］

2. 調査の方法

2.1 調査参加者

中京大学スポーツミュージアムが一般公開された2019年10月24日（木）から27日（日）の4日間の間の来館者のうち、調査の依頼に応じた者は合計967名であった。その来館日別の集計結果と回収率を表1に示した。全体として87%という回収率が、先行研究における来館者調査と比べて著しく高いことは特筆されるべきである。

表1　来館者数、回収数、および回収率*

調査日	来館者数	回収数	回収率(%)
第1日（木）	119	119	100.0
第2日（金）	58	50	86.2
第3日（土）	773	662	85.6
第4日（日）	162	136	84.0
合計	1112	967	87.0

*来館者数からは未就学児23名を除いた。

2.2 調査項目

前述のように、来館者調査においては、博物館のどのような側面を、どのような属性をもった個人が高く（あるいは低く）評価するかを知る必要がある。そのためにまず、評価に関しては、2つの側面から尋ねることにした。すなわち、博物館への全般的印象をいくつかの観点にわけて問うもの（5段階評定、7項目）と、特に印象に残った企画（チェックリスト、「その他」を含む9項目）である。具体的な質問内容は3節で示す。

次に、回答者の属性として、スポーツミュージアムをどこで知ったか（「その他」を含む5選択肢）、スポーツ経験（5段階評定、自分で行うことと観戦することの2項目）、2020年東京オリンピックへの興味（5段階評定）を尋ねた他、年齢、性別、職業、居住地域、および、中京大学との関係といった、いわゆるデモグラフィックな属性についての質問も行った。これらの項目への反応の集計結果については、4節の表4に示した。

最後に、スポーツミュージアムへの全体としての満足度（5段階評定)、および自由記述欄を付け加えた。依頼文を含めた調査票は全体としてA4判2枚に収まるように作成された。また、自由記述欄については、調査票の裏面を使用することもできるものとした。

なお、全質問項目は、「中京大学における人を対象とする研究に関する倫理審査委員会」の審査を受け、承認された。

2.3　手続き

調査票はA3判の用紙に横2段に印刷され、2つ折にしてA4サイズのボードに固定し、鉛筆と共に来館者に手渡された。展示品へのインクの飛散を避けるためボールペン等を用いることはできなかった。参加者は観覧中に館内で、または退出後に出口付近で（長椅子が置かれていた)、調査票に記入した。記入済みの調査票は、調査員が手渡しで受け取った。

2.4　データ入力

データ入力は、中京大学現代社会学部亀井ゼミの2、3年生によって行われた。自由記述については、判読できる限り全文が入力されたが、明らかな誤字、脱字については、入力者の判断で訂正された。

［村上　隆］

3.　評価項目の回答パターンとその特徴

3.1　分析の対象とする項目

この節では、スポーツミュージアムの評価に関する7項目（1．入館した時の印象、2．展示物の価値・希少性、3．展示のレイアウト、4．説明のわかりやすさ、5．提供されている情報の量、6．館内の雰囲気・居心地のよさ、7．Museumへのアクセス・館内での動きやすさ）の分析結果を中心に論じる。これらの項目において求められる反応は5段階（悪い、やや悪い、普通、やや良い、良い）である。こうした評価項目への反応を個別に集計することはもちろん可能であり（表2)、それによって1節で言及した田代・中村・小山（2010）のように、各項目と性別や年齢といった属性との関係が明らかにできる。

しかし、各評価項目に同一の個人が回答していることを考えれば、全項目を同時に分析するという方策も考えられる。この方法であれば、各項目間の関連を含めて分析が可能である。ここでいう関連とは、回答パターンのことを指す。例えば、全てを肯定的に回答するパターンや、全てを否定的に回答するパターン、一部を肯定／否定するパターンなどが考えられる。

博物館の評価項目ではないが、社会的な意識や態度の回答パターンを分析した研究として、永吉（2014）が挙げられる。この研究では、福祉に関する意識を尋ねた複数の項目から回答パターンを抽出することで、福祉観の違いという観点から個人をグループに分けることを通じて、福祉観と社会的属性との関連を明らかにしている。同様の方法を用いて、中国における伝統文化受容のパターンを11項目の態度から抽出し、その要因を検討した研究（廣瀬 2019）もある。このように、意識や態度を個別に分析するのではなく、回答パターンを抽出し、その特徴を明らかにすることで、より多くのインプリケーションを得ることができる。

こうした先行研究の事例を参考にして、本節では、スポーツミュージアムの評価項目から回答パターンを抽出し、各パターンの特徴を明らかにする。この作業を通じて、どのような人々が高評価／低評価するのか、どのような展示が高評価につながるのか、といったことを考察する。

3.2　分析の方法

回答パターンの抽出には、潜在クラス分析（三輪 2009、藤原・伊藤・谷岡 2012）という方法を用いる。潜在クラス分析を使用するメリットとして、回答パターンの抽出とそのパターンの特徴を分析可能であることが挙げられる。さらに、クラス数の決定のための統計的指標が存在するといった統計的なメリットもある。先掲の永吉（2014）と廣瀬（2019）においても、潜在クラス分析が使用されている。なお、潜在クラス分析の通常の適用においては、抽出されるグループのことを「クラス」と呼ぶが、本稿では「パターン」と呼称することとする。なお、以下の分析においては、7項目すべてについて無答であった1ケースを除いた966ケースが用いられる。

前述のように、潜在クラス分析に使用するのは、評価項目の7項目である。表2に見られるとおり、評価項目は「良い」側に非常に偏った分布となっている。大学博物館評価におけるこうした傾向は、1節で言及した小井土・楢崎・東條（2019）にも見られたが、潜在クラス分析の適用にあたって、あまり反応率の低い項目が存在することは好ましくないので、以降では「悪い〜普通」を「普通以下」とし、3カテゴリに再コード化する。

潜在クラス分析を行った後は、抽出された回答パターンと属性（性別、年齢、職業、スポーツ経験/観戦経験）の関連を分析する。次に「印象に残った展示」と各パターンの関連を分析し、どのパターンにどの展示が評価されたのかを確認する。そして最後に、各パターンと総合的な満足度の関連を分析する。

表2　スポーツミュージアム評価項目の分布

		悪い	やや悪い	普通	やや良い	良い	合計
入館した時の印象	度数	0	0	145	225	594	964
	（%）	(0.0)	(0.0)	(15.0)	(23.3)	(61.6)	(100.0)
展示物の価値・希少性	度数	1	3	77	262	614	957
	（%）	(0.1)	(0.3)	(8.0)	(27.4)	(64.2)	(100.0)
展示のレイアウト	度数	1	15	140	282	516	954
	（%）	(0.1)	(1.6)	(14.7)	(29.6)	(54.1)	(100.0)
説明のわかりやすさ	度数	2	25	212	293	422	954
	（%）	(0.2)	(2.6)	(22.2)	(30.7)	(44.2)	(100.0)
提供されている情報の量	度数	3	30	217	296	410	956
	（%）	(0.3)	(3.1)	(22.7)	(31.0)	(42.9)	(100.0)
館内の雰囲気・居心地のよさ	度数	1	13	136	272	535	957
	（%）	(0.1)	(1.4)	(14.2)	(28.4)	(55.9)	(100.0)
Museumへのアクセス・館内での動きやすさ	度数	4	69	287	226	369	955
	（%）	(0.4)	(7.2)	(30.1)	(23.7)	(38.6)	(100.0)

3.3　分析の結果

3.3.1　潜在クラス分析による5つの反応パターン

それでは、潜在クラス分析の結果に移ろう。博物館の評価項目7項目3カテゴリを使用し、潜在クラス分析を行った。クラス数の決定について、詳細な結果はここでは割愛するが、今回はBICと呼ばれる適合度指標（たとえば、藤原・伊藤・谷岡2012）より5クラス解を採用した。

では、抽出されたこの5つの回答パターンの特徴を明らかにしていこう。パターンごとに各項目の応答確率を表したのが図1である。図1より、「低評価」、「低～中評価」、「中評価」、「中～高評価」、「高評価」という5つのパターンであることがわかる。どの項目についても「普通以下」の割合が高いのが「低評価」パターンである。そして「低～中評価」パターンでは、「低評価」パターンと同じく「普通以下」の割合が高い項目がいくつか見られるものの、「入館した時の印象」、「展示物の価値・希少性」、「展示のレイアウト」の項目では「やや良い」が最頻値となっている。続けて「中評価」パターンを見ると、どの項目でも「やや良い」の割合が高くなっている。そして「中～高評価」パターンは、「中評価」パターンと同じく「やや良い」の割合が高い項目もあるものの、「入館した時の印象」、「展示物の価値・希少性」、「展示のレイアウト」、「館内の雰囲気・居心地のよさ」の項目で「良い」が最頻値となっている。最後に「高評価」パターンは、どの項目でも圧倒的に「良い」の割合が高く、全体的に評価が低めである「Museumへのアクセス・館内での動きやすさ」についても、「良い」評価が8割を超えている。

それでは、これらの回答パターンと各評価項目の関連について、さらに詳しく見ていこう。ここで鍵となるのが「低～中評価」、「中～高評価」パターンである。残りの3つのパターンが、ほぼ一貫して同じ回答をするのに対して、この2パターンは項目によって評価が異なっている。この2パターンの評価の動きを見ることで、評価が分かれてくるポイントが見えてくる。

まず「低～中評価」パターンの評価に着目し、「普通以下」回答が多い項目を探すと、「Museumへのアクセス・館内での動きやすさ」において「普通以下」評価が多い。そして、「提供されている情報の量」、「説明のわかりやすさ」において「普通以下」評価が多い。次に「中～高評価」パターンの

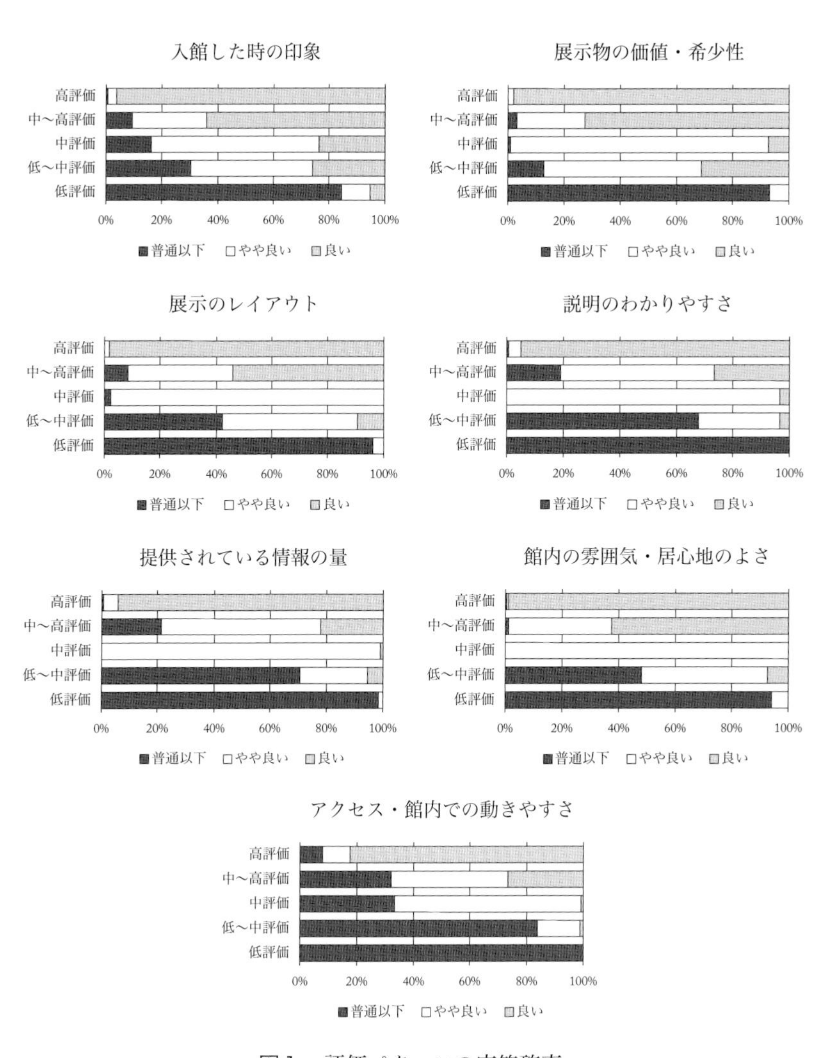

図1　評価パターンの応答確率

「やや良い」が多い項目を探すと、「低～中評価」と同じく「Museum へのアクセス・館内での動きやすさ」、「提供されている情報の量」、「説明のわかりやすさ」において「やや良い」が多い。つまり、この3項目において評価が分かれていることがわかる。

これら3つに共通するのは、展示物そのものの評価ではないという点である。これらは、展示物の選択・展示物に関する情報・説明・動きやすさといった博物館側の工夫で改善できるものである。「低〜中評価」パターンにおいても、「展示物の価値・希少性」については「普通以下」が少なく、「やや良い」と「良い」が多くなっている。さらに言えば、「良い」については「中評価」パターンよりも多い。つまり、展示物を高く評価しているものの、展示物の見せ方といったポイントで評価が落ちてしまっているということになる。

ただ、若干気になるのは、「提供されている情報の量」に対する評価の低さである。「情報の量」という語には、展示物の量、あるいは、展示物に関する解説等の量という2通りの解釈があり得る。前者の意味での情報不足の解消の手段は、端的には展示物の量を増やすことであろう（スポーツミュージアムにはすでに十分な量の収蔵品がある）。後者であれば、展示物に付される解説の文言をより詳細なものにすることが解決策になる。しかし、どちらの方法をとるにせよ、「見せ方」としては評価の高い「展示のレイアウト」を崩さず、問題のありそうな「館内での動きやすさ」も改善した上で、さらに展示物を増やすことは、現状のスポーツミュージアムの占有面積（中京大学大体育館の2階の一部である）の増大が図れないかぎり、ほとんど不可能である。この点は、スポーツミュージアムの継続的な課題となるであろうことは指摘しておきたい。

さて、これらの回答パターンは、どのような割合で存在しているだろうか。その構成割合を示したのが図2である。圧倒的に多いのが「高評価」パターンであり、37.6％を占めている。次に多い「中〜高評価」パターンが27.3％となっている。この2パターンで全体の約3分の2を占めている。そして、その次に多いのが「低〜中評価」（20.9％）であり、残りは「中評価」（9.1％）、「低評価」（5.1％）となる。「低評価」パターンは非常に少ないものの、「低〜中評価」パターンと合わせると4分の1程度になることから、全体としては高く評価されつつも、評価が低くなる部分もあるということがわかる。この点については、前述のように比較できるデータがほとんどないが、低評価といっても表2からわかるように、「悪い」、「やや悪い」という反応そのものはごく少数であり、特に問題になるような結果ではない。

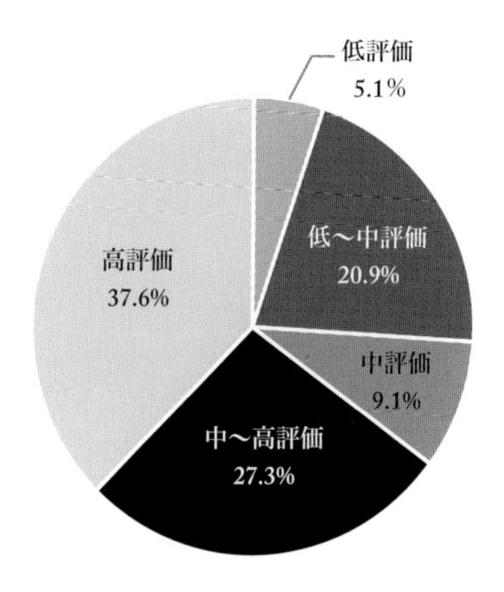

図２　評価パターンの割合

3.3.2　回答パターンと属性の関連

ここからは、これらの回答パターンと属性（性別、年齢、職業、スポーツ経験／観戦経験）の関連を見ることで、その特徴を明らかにする。

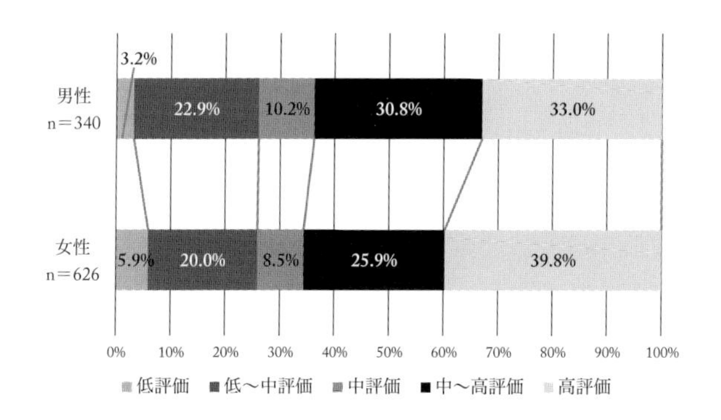

図３　性別と回答パターンの関連

まずは性別との関連である（図３）。女性の方が数ポイント「高評価」の割合が高いように見えるが、大きな差ではない。実際、χ^2検定の結果は有意ではなかった（p=0.060）[1)]。つまり、性別と回答パターンには関連があるとは言えない。

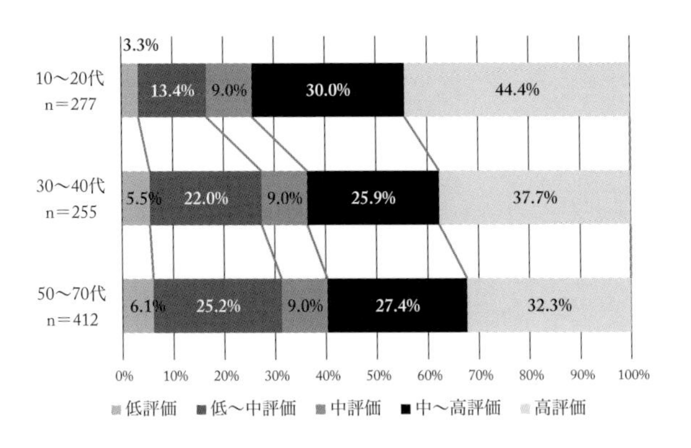

図４　年齢と回答パターンの関連

次に年齢（図４）である。年齢は10歳刻みで尋ねているが、ここでは10〜20代、30〜40代、50〜70代の３カテゴリに再コード化している。χ^2検定の結果、１％水準で有意であった（p＝0.006）。結果からわかるのは、年齢が低いほど評価が高いパターンが多くなり、年齢が高いほど評価が低いパターンが増加するということである。10〜20代と50〜70代を比較すると、「低〜中評価」、「高評価」パターンにそれぞれ10ポイント以上の差がある。

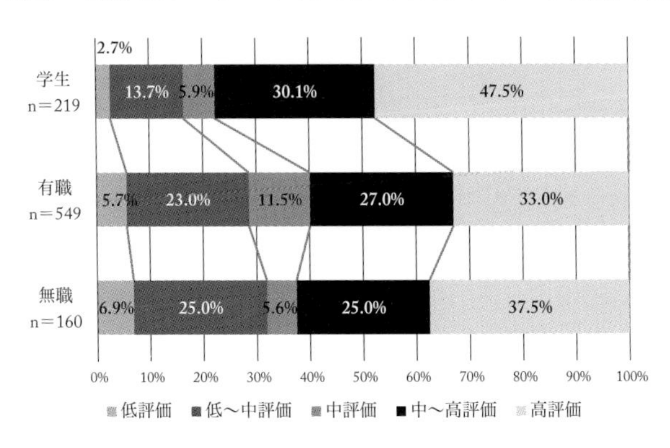

図５　職業と回答パターンの関連

次に職業である（図５）。大学祭で行われたアンケートであるため、ここでは学生、有職、無職という大まかな３カテゴリになっている。χ^2検定の結果、0.1％水準で有意であった（$p<0.001$）。具体的に違いを見ると、学生は「高評価」パターンが圧倒的に多く、50％近くを占めていることがわかる。「低評価」、「低～中評価」を合わせても15％程度と少なくなっている。一方で、有職と無職を見ると、「高評価」パターンが学生ほどは多くなく、評価が低いパターンが増えてくる。有職と無職については、大きな違いは見受けられない。

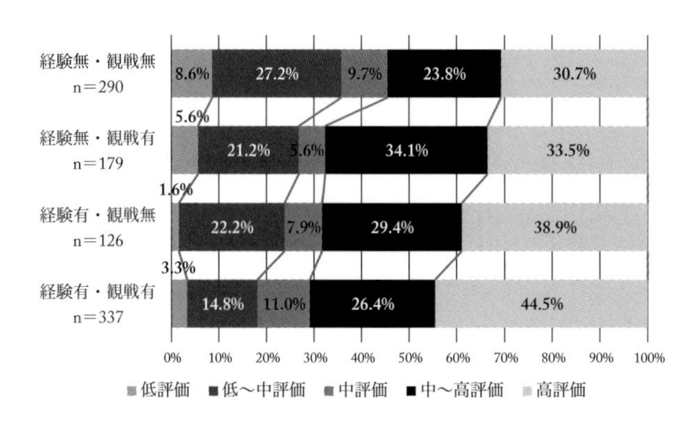

図6　スポーツ経験×観戦経験と回答パターンの関連

最後にスポーツ経験とスポーツ観戦経験の組み合わせカテゴリである（図6）。もとの5カテゴリを「なし／あり」の2カテゴリにリコードし、さらにその組み合わせで4カテゴリを作成している。χ^2検定の結果、0.1％水準で有意であった（$p<0.001$）。まず目を引くのが、「経験有・観戦有」カテゴリの「高評価」パターンの多さである。44.5％と半分近くを占めている。対照的に、「経験無・観戦無」カテゴリでは、「高評価」パターンが最も少なく、評価の低いパターンの割合が増える。スポーツミュージアムに対してスポーツ経験・観戦経験が影響するのは当然の結果とも言えるが、経験・観戦ともに盛んな層には高く評価される一方で、経験・観戦ともに少ない層には展示の魅力が十分に伝わっていない可能性がある。ただ、「経験無・観戦無」カテゴリにおいても「高評価」パターンが最頻値であるため、スポーツ経験の少ない来館者に魅力が全く伝わっていないということではない。

以上の分析より、年齢、職業、スポーツ経験／観戦経験によって、回答パターンが分かれてくることが明らかとなった。ただし、学生であれば評価が高かったが、同時に若年層でも評価が高かった。すなわち、学生の効果と年齢の効果が重複していると考えられる。よって、年齢が高いと評価されづらい、スポーツ経験／観戦経験が少ないと評価されづらい、という2点を押さえておくと良いだろう。

3.3.3 回答パターンと印象に残った展示、全体満足度の関連

各パターンの特徴が明らかになったところで、これらの回答パターンと実際の展示内容との関連を見ていこう。ここで取り上げるのは「印象に残った展示」である。この設問では、9つの展示内容について、印象に残ったもの

表3　印象に残った展示の分布

		選択なし	選択あり	合計
1．スポーツ映像ウォール	度数	704	261	965
（エントランス）	（%）	(73.0)	(27.0)	(100.0)
2．真剣味の殿堂	度数	628	337	965
（中京大学のオリンピアン）	（%）	(65.1)	(34.9)	(100.0)
3．時代とスポーツのスラローム（夏）	度数	784	181	965
	（%）	(81.2)	(18.8)	(100.0)
4．時代とスポーツのスラローム（冬）	度数	787	178	965
	（%）	(81.6)	(18.4)	(100.0)
5．スポーツアーカイブス	度数	851	114	965
	（%）	(88.2)	(11.8)	(100.0)
6．モスクワ五輪のメダル	度数	777	188	965
	（%）	(80.5)	(19.5)	(100.0)
7．企画展示コーナー（金栗四三）	度数	753	212	965
	（%）	(78.0)	(22.0)	(100.0)
8．映像ブース	度数	736	229	965
	（%）	(76.3)	(23.7)	(100.0)
9．その他	度数	810	155	965
	（%）	(83.9)	(16.1)	(100.0)

をチェックリスト形式（複数回答可）で尋ねている（表３）。つまり、複数の展示が印象に残った回答者もいれば、全てが印象に残らなかったという回答者もいることになる。以降では、回答パターンごとに各展示がどれくらい印象に残っているのかを分析する。

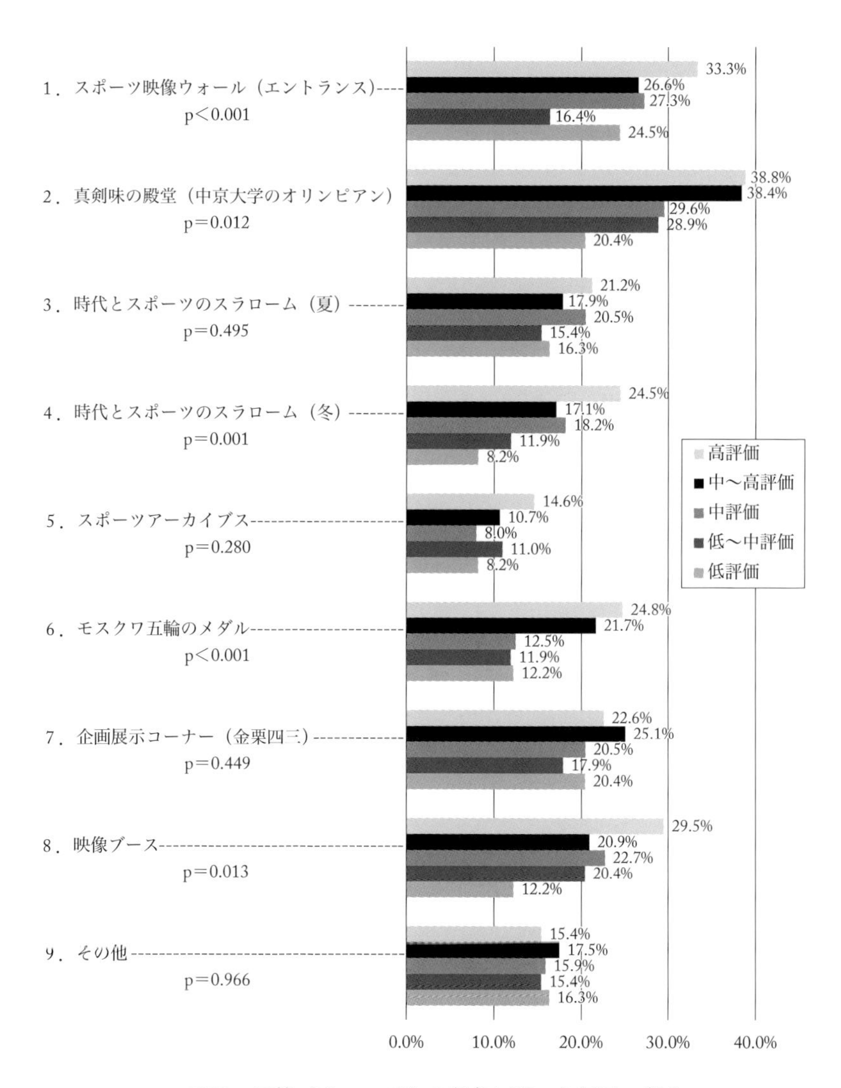

図７　回答パターンごとの印象に残った展示の割合

図７が各パターンと印象に残った展示の関連（「印象に残った」と回答したケースの割合）である。まず各パターンとの関連が統計的に有意かどうかをχ^2検定で確認すると、有意であったのは1, 2, 4, 6, 8で、3, 5, 7, 9では有意でなかった（各項目のp値参照）。「５．スポーツアーカイブス」のように、評価の高低とは関連がなく、全体としても選択率が低い（11.8%）ものもあれば、「３．時代とスポーツのスラローム（夏）」と「７．企画展示コーナー（金栗四三）」のように、選択率が高くても、やはり関連がないものもある。

それでは、展示と回答パターンの有意であった関連を見ていこう。まずは「１．スポーツ映像ウォール（エントランス）」である。この展示では、「高評価」と「低〜中評価」パターンの回答に15ポイント以上の差がある。残り３パターンの割合はあまり変わらないことから、ここの印象が強いと特に「高評価」になりやすく、印象に残らないと「低〜中評価」になりやすい展示であることがわかる。「８．映像ブース」も同様の傾向があることから、特に映像展示の印象が、評価を大きく変えることがわかる。「４．時代とスポーツのスラローム（冬）」も似た傾向があるが、これは「低〜中評価」と「低評価」の差につながっている。次に「２．真剣味の殿堂（中京大学のオリンピアン）」を見ると、この印象が強いと「高評価」や「中〜高評価」になり、印象が薄いと「低〜中評価」と「中評価」、さらには「低評価」につながるようである。「６．モスクワ五輪のメダル」の印象は、「高評価」、「中〜高評価」につながる一方、印象に残らないと「中評価」以下になりがちである。

このように、印象に残ることと評価の関係は単純ではないが、特に１と８に表れているように、インパクトのある映像資料であっても、万人に高く評価されるわけではないという点に注意が必要だろう。また、「４．時代とスポーツのスラローム（冬）」は混雑しやすかったため、ゆっくりと見られなかったことが評価に影響している可能性も考えられる。

最後に、各パターンとスポーツミュージアムの全体的な満足度との関連を見てみよう。この満足度も「満足」側に非常に偏っているため、「不満」、「やや不満」、「どちらとも言えない」を合算し、３カテゴリとして分析する。

図８が分析結果である。χ^2検定の結果、0.1%水準で有意であった（p<

0.001)。各パターンを構成している評価項目と満足度は近い性質のものなので、当然の結果ではあるのだが、回答パターンと対応したわかりやすい結果となっている。やや評価が厳しい「低～中評価」パターンにおいても「ほぼ満足」の回答が最頻値となっていることから、ミュージアム全体の評価は、決して低いものではないと考えて良いだろう。

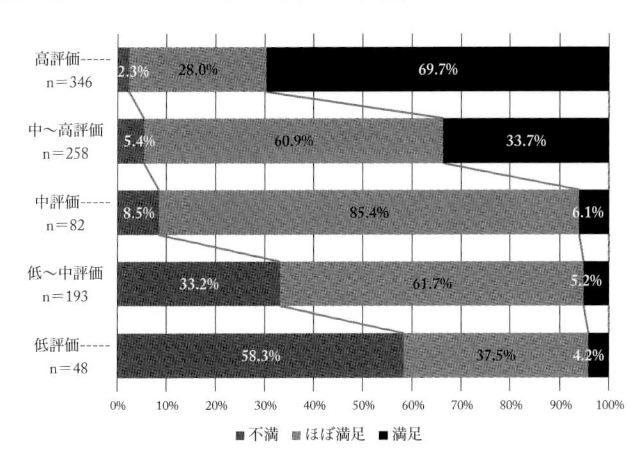

図８　回答パターンと全体満足度の関連

3.4　考察

分析結果からわかったことをまとめていこう。潜在クラス分析の結果からは、５つの回答パターンが抽出され、高い評価のパターンとなる割合が高い一方で、低い評価のパターンも少なくないことが明らかとなった。その評価が分かれてくるポイントは、「Museumへのアクセス・館内での動きやすさ」、「提供されている情報の量」、「説明のわかりやすさ」の３点であった。そして、回答パターンと属性や展示物との関連を検討したところ、評価が高かったパターンの特徴としては、年齢が若く、スポーツ経験／観戦経験ともに豊富で、映像資料を特に好んでいた。一方で、評価が低かったパターンの特徴としては、高齢層でスポーツ経験／観戦経験ともに少なかった。

ここでは評価が低いパターンについて詳しく考えてみよう。「低～中評価」パターンは、「展示物の価値・希少性」では低評価は少ないものの、「Museumへのアクセス・館内での動きやすさ」、「提供されている情報の量」、「説明のわかりやすさ」という3項目の評価が低く、全体満足度の低さにも影響していると考えられる。この層の特徴として挙げられるのが、年齢層が高めで、スポーツ経験／観戦経験ともに少ないという点である。年齢層が高いゆえに、展示品の価値を評価してもらえる一方で、説明のわかりやすさや動きやすさといった点が大きく影響してしまう。印象に残った展示にもその影響は出ており、混み合いやすい展示の評価が低くなる傾向にあった。全体の20％程度を占めるこの層は、スポーツ経験が少ないながらも、展示品の価値がわかるという、スポーツミュージアムにおいて重要な観覧者である。特に評価の低かった3項目を改善し、この層にも博物館をより楽しんでもらえるような努力が必要になるだろう。

「低評価」パターンだが、この層はどの項目でも評価が低く、全体満足度も低かった。全体で5％と少数で扱いが難しいが、印象に残った展示から推測するならば、入り口付近で目に入りやすい「1. スポーツ映像ウォール」の評価が低くはないことから、博物館全体が混雑していたために館内の展示を十分に見ることができず、低評価につながっている可能性が挙げられる。

総括すると、スポーツミュージアムの展示品の価値・希少性は高く評価されており、それは全体的な満足度にも表れている。しかし、年齢層が高い、もしくはスポーツ経験が少ない人々には、説明がわかりにくかったり混雑で展示品が見づらかったりしたために、その魅力が十分に伝わらず満足度が下がってしまう原因となっている可能性がある。さらに、これらの点を改善し、現状のレイアウトを維持しつつ、情報の量を増やすという現在の立地条件では解決の難しい問題も示唆された。

［谷岡 謙］

4. 評価の自由記述データの定量的分析

4.1 社会調査における自由記述データの意義

本アンケート調査では、調査票の最後に「Museumに対する評価」を自由記述形式で回答してもらうスペースを設定した（前述のように、字数制限を行わないために調査票の裏面の使用も可とした）。こうした自由記述にもとづく展示施設への具体的な評価は、来館者の多様な意見や価値観を把握するうえで重要である（伊藤 2007）。回答者の自由な回答に委ねたオープン・エンド・クエスチョンは、選択肢を超えた回答の幅を得たり、回答者視点の回答パターンやカテゴリーを帰納的に導き出すことを可能とする（小松 2013）。換言すると、回答者の独自性や主体性が担保された質問形式となる。

このように、博物館評価に関する自由記述の回答データは、今後の展示のあり方を検討するうえで有用な資料になることが考えられる。そのような実践的な価値はあるにもかかわらず、1節で示したように、分析結果を展示のあり方に活かそうとする研究は少ない。

本節では、「Museumに対する評価」の自由記述データを使い、自由記述の回答パターンとその特徴を探索的に分析した結果を示す。これを通じて、今後、大学博物館に求められる改善点に関する示唆を得ることを狙いとする。

4.2　データの概要

調査票末尾の自由記述に関する指示文は、次のようなものであった。

> 最後にご意見をお書きください。このMuseumに限らず、オリンピックのことスポーツ全般のことなど何でも自由に書いてください。

その結果、225人の回答者がこの設問に回答した。上記のように、この項目はスポーツミュージアムに限らずスポーツ全般に対する多様な評価を得ることを企図していたが、結果的には、回答のほとんどがスポーツミュージアムに関するものであった。本節では、そうしたスポーツミュージアム関連の回答を記入した201の記述（全回答者の20.7％）を分析対象とする。回答で記述された文字数は、最小が5、最大が188、平均が43.85、標準偏差が31.15であった。

対象者の基本属性を集計したのが表4である。ここでは、自由記述欄に記入していない回答者も含む全体の数と対比する形で示している。

ここまで特に触れてこなかったので、全回答者の属性の分布を見ておこう。性別では女性が多く、年齢は50代、次いで20代が多い。居住地域では、

表4　自由記述回答項目の回答者と全回答者の属性・反応の分布*

	自由記述回答者		全回答者	
	度数	(%)	度数	(%)
性別				
男性	69	(34.5)	315	(33.4)
女性	131	(65.5)	627	(66.7)
年齢				
10代	34	(17.1)	124	(12.8)
20代	51	(25.6)	154	(15.9)
30代	11	(5.5)	53	(5.5)
40代	30	(15.1)	202	(20.9)
50代	54	(27.1)	296	(30.6)
60代	9	(4.5)	75	(7.8)
70代以上	10	(5.0)	41	(4.2)
居住地域				
豊田市	51	(25.5)	195	(20.6)
名古屋市	41	(20.5)	173	(18.3)
その他の愛知県内	66	(33.0)	348	(36.8)
愛知県外	42	(21.0)	230	(24.3)
職業				
学生・生徒	77	(38.5)	220	(23.3)
公務員	10	(5.0)	47	(5.0)
会社員	41	(20.5)	269	(28.5)
パート・アルバイト	26	(13.0)	152	(16.1)
専門職	7	(3.5)	38	(4.0)
会社経営・会社役員	1	(0.5)	19	(2.0)
自営業	5	(2.5)	24	(2.5)
専業主婦・主夫	24	(12.0)	121	(12.8)
無職・家事手伝い	7	(3.5)	39	(4.1)
その他	2	(1.0)	15	(1.6)
中京大学との関係性				
学生（豊田）	67	(33.3)	174	(18.2)
学生（名古屋）	1	(0.5)	18	(1.9)
生徒(中京大中京高校)	0	(0.0)	5	(0.5)
卒業生(大学・高校)	21	(10.4)	148	(15.5)
保護者	34	(16.9)	245	(25.6)
教職員(旧職員含む)	5	(2.5)	17	(1.8)
その他	17	(8.5)	98	(10.3)
特に関係ない	54	(26.9)	251	(26.3)

	自由記述回答者		全回答者	
	度数	(%)	度数	(%)
スポーツ経験				
ほとんどない	18	(9.0)	95	(10.1)
あまりない	43	(21.4)	208	(22.2)
どちらとも言えない	27	(13.4)	172	(18.3)
かなりある	61	(30.3)	259	(27.6)
大いにある	52	(25.9)	205	(21.8)
スポーツ観戦経験				
ほとんどない	8	(4.0)	50	(5.3)
あまりない	32	(15.9)	161	(17.2)
どちらとも言えない	40	(19.9)	206	(22.0)
かなりある	78	(38.8)	347	(37.0)
大いにある	43	(21.4)	174	(18.6)
オリンピックへの関心				
ほとんどない	6	(3.0)	25	(2.7)
あまりない	14	(7.0)	58	(6.2)
どちらとも言えない	40	(19.9)	222	(23.5)
かなりある	89	(44.3)	443	(47.0)
大いにある	52	(25.9)	195	(20.7)
Museumの満足度				
不満	0	(0.0)	2	(0.2)
やや不満	8	(4.0)	17	(1.8)
どちらとも言えない	21	(10.4)	102	(11.0)
ほぼ満足	83	(41.3)	461	(49.7)
満足	89	(44.3)	346	(37.3)

*「中京大学との関係性」の項目は、複数選択可能なチェックリスト形式であった。この項目への反応のパーセンテージは延べ反応数を分母として求めている。

豊田市と名古屋市以外の愛知県内の地域から来場している人が多い。職業は学生・生徒が最も多く、次に会社員となる。中京大学との関係としては、やはり豊田キャンパスの学生が多いが、大学との関わりを持たない人も多く訪れている。3節でも見たように、スポーツ経験とスポーツの観戦経験、オリンピックに対する関心を持つ回答者が多く、スポーツミュージアムへの満足度も高い方に集中している。

また、自由記述欄に記入した回答者を、全回答者と比較すると、20代、学生・生徒、豊田キャンパスの学生が10％ほど多く、会社員、および中京大学との関係のうち保護者が10％近く少ない他は、ほぼ同等の割合であった。

4.3　自由記述データの分類

最初に、自由記述の回答データの全体像を描出するため、計量テキスト分析ソフトウェア KH Coder（樋口 2020）による結果を示す。自由記述データを、従来のように人間の手作業で分析せず、ソフトウェアを用いて「機械」的に捉えることには次のような意義がある。第一に、例えば、ある語と一緒に使われることの多い共起語を自動的にリストアップすることができ、人間の目では気づくことができないデータの特色や傾向を見出してくれる。第二に、人手による作業でないため、結果の信頼性が担保される。他方で、計量テキスト分析においては、ソフトウェアから産出された結果を参考にしながら、元の文章に立ち返った解釈を行うことも重要となる。すなわち、定められたアルゴリズムにもとづくアプローチであることは確かであるが、使い方次第では、定量的分析と定性的分析の間の循環的関係にもとづく知見の深まりも期待できる（樋口 2017: 335）。

こうした計量テキスト分析の仕様に倣い、まずは、本節が使用する自由記述データが、いかなる特色を備えているのかを体系的に明らかにする。来館者の回答は、たとえば、「1964年の東京五輪のポスターや各種品物が印象に残りました」、「浅田真央ちゃんの情報がほしかった」のように様々だが、計量テキスト分析では回答から抽出されたいくつかの語の共起（co-occurrence)、すなわち、同じ回答者による記述の中に現れる可能性の高さにもとづいて分類し、それを共起ネットワーク（図９）として表現する。この図で、線（リンク）でつながっている語は、同じ回答者の記述の中に現れやすいことを示している。また、円の大きさはその語の出現度数を表している。

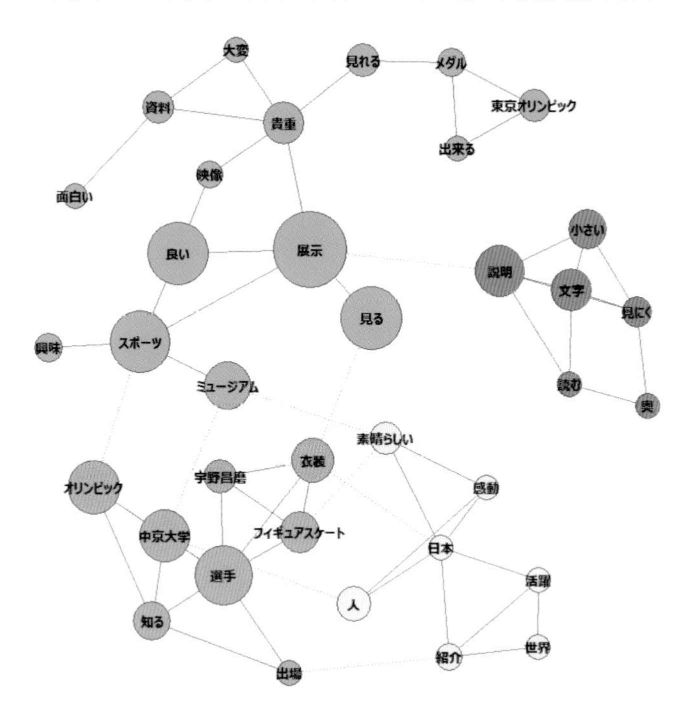

図９　自由記述にもとづく共起ネットワーク

図９からは、抽出された語が、４つのグループに分かれていることが見てとれる[2)]。以下では、グループを構成する語を含む回答データの文章を解釈材料としながら、それぞれのグループの特色を説明する。なお、【　】は当該グループの名称である。

【展示物への感動】

図９の左上のグループでは、「展示」を中心に「スポーツ」「見る」「良い」「貴重」といった語が連なっている。スポーツミュージアムの展示物を見たことによる感動が記述されており、他のグループと比べて、ポジティブな記

述が集中している。

回答例：『開催できなかった1940日本大会の資料、参加しなかったモスクワの金メダルなど大変貴重なものを見せていただけて良かったです。』『とても貴重なものが見れて光栄でした。パネルで各年代の出来事が見られたのはとても興味深かったです。』『この展示などをきっかけにスポーツに興味をもつ人も増えると思った。』

【中京大学・フィギュアスケート選手を知る機会】

左下のグループでは、「選手」「中京大学」「フィギュアスケート」「宇野昌磨」「知る」など、中京大学の展示ならではの語が集まっている。中京大学豊田キャンパスは、優秀なアスリートを多数輩出しており、なかでもフィギュアスケート選手が人気を博している。そうした選手が、獲得した大会メダルや着ていた衣装を展示したことで、スポーツファンから強い関心を持たれたことが窺い知れる。

回答例：『多くのオリンピック選手が中京大学の人が多くて、色んなことが発見できた。オリンピックの道具のようなものに歴史を感じられてその時の時代が描かれているのを知った。』『フィギュアスケートが好きです。今まで活躍された選手、今現役の選手についての展示はうれしいです。とくに宇野昌磨選手の衣装は素敵でした。』

【海外とのつながり】

右下には、「日本」「世界」「活躍」「紹介」といった語が集中している。これらの回答は、スポーツという営みやその活躍が、海外にまで影響を及ぼすことをポジティブに評価している。すなわち、スポーツがもたらすグローバルな部分の発展可能性について言及しているといえる。

回答例：『中京大学にこんなにも世界で活躍している人がいることに驚いた。』『スポーツは言葉もいらなければ、国籍も人権も関係なく行えます。これが世界平和に繋いだ架け橋なのかなと思いました。』

【説明の配慮不足】

右上に「説明」「文字」「見にくい」「小さい」といった語が連なっている。下の回答例から一見してわかるように、展示物の説明文の文字が小さいことへの指摘が集まっている。視力への配慮不足に関する言及もあり、誰もが不自由なく観覧できる展示環境を求めていることがわかる。

回答例：『文字が小さいので遠いものが見にくい（特に資料など）』『東京オリンピック関係の展示で、構造上壁に貼られている展示物の説明の文字が読みづらい。壁ぎわの展示物の説明文だけでも少し文字を大きくしてほしい。』『壁面の展示物の説明文の文字が小さすぎる。読みづらい。年齢を問わず読みやすい説明文にした方が良いと思う。』『奥にあるものの文字が小さくて少し見にくかったです。私は視力がとてもいいので余裕で見れましたが。』

以上のとおり、来館者の自由記述は、４つのグループに類型化された。感動やスポーツの可能性を記したポジティブな回答が見られたが、他方で、展示物の説明文の文字の小ささなど、展示方法に関わる指摘もあった。したがって、本節で扱う自由記述の回答データは、スポーツミュージアムに対する肯定的な評価と否定的な評価をともに含んでいることになる。

4.4　各グループの特徴

本項では、どのような特徴を持つ来館者が、上記のグループの語を自由記述に記したのかを検討する。事前準備として、共起ネットワークでそれぞれのグループを構成していた語を集めたコーディングルールを作成した（表５）。これによって、回答者を各グループの語を記述した者と記述しなかった者に二分できる。すなわち、個々の回答者の記述に、コーディングルールに書かれた語のどれかが含まれていれば１、どれも含まれていなければ０という二値変数が定義される。これが後にロジスティック回帰分析の従属変数として用いられる。

表5　コーディングルールの詳細

グループ名	グループのコーディングルール
展示物への感動	面白い or 資料 or 大変 or 貴重 or 見れる or メダル or 出来る or 映像 or 東京オリンピック or 良い or 展示 or 見る or スポーツ or 興味 or ミュージアム
中京大学・フィギュアスケート選手を知る機会	オリンピック or 中京大学 or 知る or 選手 or 出場 or 宇野昌磨 or フィギュアスケート or 衣装
海外とのつながり	素晴らしい or 日本 or 感動 or 人 or 活躍 or 紹介 or 世界
説明の配慮不足	文字 or 小さ or 説明 or 読み or 奥 or 見にく

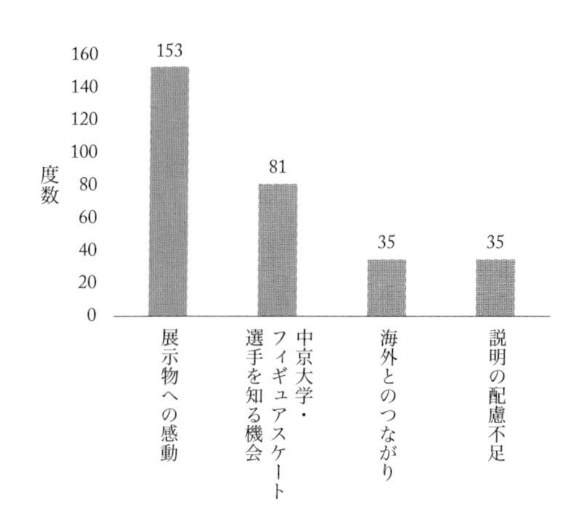

図10　各グループの度数分布

図10は各グループの語を記述した回答者の度数分布を示したものである。回答者のなかには、2つ以上のグループについて記述している人、加えて、この分布には反映されないが、どのグループにも該当しない記述をした人がいることに留意してほしい。

一見してわかるように、【展示物への感動】を記述している来館者が最も多い。次に【中京大学・フィギュアスケート選手を知る機会】が多く、【海外とのつながり】と【説明の配慮不足】が同じ頻度である。この分布からは、ミュージアムの展示物が来館者から多くの肯定的な評価を得たことが窺える。しかしながら、【説明の配慮不足】に関する指摘が一部存在しているように、展示物の見せ方に不満を持たれたことも確かである。すなわち、全体としては展示物に対する評価は高いが、他方で、展示物の見せ方の部分で評価を落としており、3節の潜在クラス分析の結果と整合的である。

次に、どのような属性の人が、特定のグループの回答をしていたのかを見ていく。例えば、先ほどの回答例を踏まえると、視力が低下している人の割合が多いと考えられる高齢者ほど【説明の配慮不足】を回答しているのではないかといった仮説が検証できる。

ここでは、表5のコーディングルールにもとづく二値変数を従属変数とした二項ロジスティック回帰分析（たとえば、伊藤・谷・平島 2018）を行った。独立変数として、「女性ダミー」、「年齢（学生ダミー、学生を除いた10～30代ダミー、40～50代ダミー、60代以上ダミー）」、「愛知県外からの来館ダミー」、「スポーツ経験ありダミー」、「スポーツ観戦ありダミー」、3節の潜在クラス分析で得られた「各クラスのダミー」を投入した[3]。

結果の詳細は省略するが、次のような結果を得ることができた。【展示物への感動】は、学生と比べ、60代以上の人がこれを記述しないことが示された。【中京大学・フィギュアスケート選手を知る機会】についても、学生と比べて、40～50代以上と60代以上の人ほどこれを記述していないことがわかった。以上2つの従属変数については、統計的に有意に影響する独立変数が見いだされたが、【海外とのつながり】と【説明の配慮不足】に関しては、どの独立変数も有意になることはなかった。

4.5　宇野昌磨選手の衣装とSNSの集客機能

ここでは、上述の分析が行われた自由記述欄とは別に、個別項目への選択肢の1つである「その他」に付随する自由記述（「具体的に書いてください」）によって発見された事実について述べておきたい。その前提として中京大学スポーツミュージアムの開館式について述べておく必要がある。

開館式は、この調査が開始される1日前の10月23日（木）に行われ、テレビニュースや新聞（電子媒体含む）等で報道された。特に、フィギュアスケートの宇野昌磨選手（中京大学スポーツ科学部4年、2018年平昌オリンピック銀メダリスト）が、平昌オリンピックで着用した衣装を学長に手渡したシーンは、動画としても配信され、中京地区では広く知られることになったが、この衣装もミュージアム内に展示された。これは、いわばサプライズであり、3節で分析された「印象に残った展示」のチェックリストに加えることができなかった。しかし、同じ設問の「その他」の自由記述欄にそれと解釈できるものが全体の13.3%（123名、%計算の分母から無回答を除く）の回答者によって記述された。

それとは別に、調査票には、「このMuseumのことを何によってお知りになりましたか」という設問が含まれていた。これに対して我々が用意した選択肢は、「メディア」、「大学のホームページ」、「キャンパスに来て」、「クチコミ」、「その他」の5つであった。ここで、口頭でのコミュニケーションと通常解される「クチコミ」とは別に、現代の若者が常時、閲覧・発信しているSNSが加えられるべきであったが、我々はそれに気づいていなかった。実際、こちらも「その他」の自由記述欄に、SNS、Twitter、Instagram等の形で、全体の4.3%にあたる40名がその旨を回答した。

6つの回答選択肢ごとに、「印象に残ったもの」に「その他（宇野昌磨選手の衣装)」と解釈できる回答をした者の割合を求めたのが図11である。ミュージアムを知った手段にSNSをあげた回答者が、印象に残ったものを宇野選手の衣装とした割合が圧倒的に多いことがわかる（全体としてのχ^2検定の結果は高度に有意な$p<0.001$)。他方、メディアやホームページで予備知識をもって来場した来館者は、ある程度、宇野選手の衣装への関心をもっているのに対し、キャンパスに来てから、あるいはクチコミでミュージアムの存在を知った人たちには、フィギュアスケートの衣装が特に目につかなかったと推測される。「その他（SNS以外)」と回答した者には、開館式翌日に講義やゼミの受講者として来館した学生が多く、この時点では衣装が目立つ形で展示されていなかったのが、記述が極めて少ない理由であろう。それに対して、3日目以降は、衣装がトルソにかけて展示され、来館者は「疑似的ツーショット」としていわゆるSNS映えする写真を撮ることが可能になった。こうして、SNSでは宇野選手の衣装そのものがメインのトピックになっていた可能性が高く、それが目的の来館者が多かったものと考えてよいであろう。

今回の宇野昌磨選手のような一種の「目玉商品」の存在が、集客に一定の効果をもったこと、その際、事前のメディアを通じた情報発信とともに、来館者の自発的なSNSによる情報拡散の効果が垣間見られたことは重要である。今後同種の調査が行われる際には、博物館のことをどこで知ったかという問いに対する回答選択肢にSNSを加えることは忘れられるべきでない。これが調査票上の選択肢として用意されれば、SNSの集客メカニズムと集客力を明らかにできると期待できるからである。

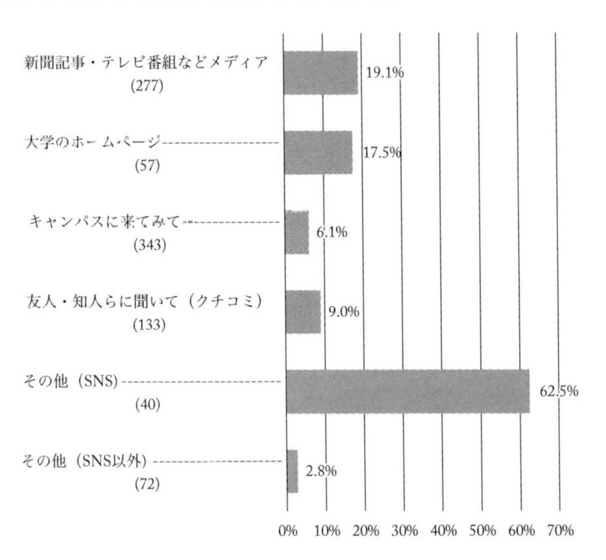

図11　「スポーツミュージアムのことを知った手段」ごとに見た「宇野選手の衣装」が印象に残った回答者の割合。（　）内は回答者の実数。

以上の結果から、調査の企画時点で調査企画者の意識に上りにくい回答を掘り起こすために、選択肢「その他」に加えてそれに対応する自由記述欄が不可欠であることがわかる。そうした回答は、それらが選択肢として用意されていた場合に比べて、相当少数にとどまるであろうが、それでもそれらに気づかないまま調査の分析・報告が終了してしまうといった事態は、可能な限り避けた方がよいであろう。

4.6　考察

本節ではまず、中京大学スポーツミュージアムに対する来館者の評価の自由記述データを使い、次のような分析を行った。最初に、回答者の評価を探索的に把握するため、自由記述の共起ネットワークを作図した。これにより、回答者の評価に用いられた語は、【展示物への感動】、【中京大学・フィギュアスケート選手を知る機会】、【海外とのつながり】、【説明の配慮不足】という４つのグループに分かれた。そして、どのような属性の人が、特定のグループの回答をしていたのかを明らかにするために二項ロジスティック回帰分析を行った。結果として、【展示物への感動】と【中京大学・フィギュアスケート選手を知る機会】は低年齢層が記述することが明らかになった。【海外とのつながり】と【説明の配慮不足】においては、属性との関連性を掴むことができなかった。

しかし、調査者の気づかなかった来館者視点での博物館評価という観点に立てば、それらの回答グループを看過することはできない。なかでも、【説明の配慮不足】においては、博物館運営のあり方を思案するうえで重要な評価である。なお、有名選手のユニフォーム展示というサプライズが、SNSによる集客を呼び起こすという偶発的な発見もあった。

以上の分析結果をもとに、今後の博物館運営のあり方に関わるインプリケーションを３つ提示したい。第一に、中高年層と高齢層が関心を抱くような展示の工夫が必要である。【展示物への感動】と【中京大学・フィギュアスケート選手を知る機会】の二項ロジスティック回帰分析では、スポーツ経験などの変数を統制し、そのうえで年齢の違いが現れていた。中高年層と高齢層は若年層と異なり、そもそもスポーツに対する感動を抱かない、または抱きにくくなっていることが考えられる。換言すると、スポーツというコンテンツを熱狂的にではなく冷静に見ているともいえる。従って、若年層に限らず、中高年層と高齢層にも魅力的に映る展示企画を考案することが望ましい。

第二に、【説明の配慮不足】の自由記述が物語っていたように、誰もが不自由なく観覧できる展示環境を作る必要がある。二項ロジスティック回帰分析では、可能性として、視力の低下を有することが考えられる高齢者層と

【説明の配慮不足】は関連しなかった。すなわち、このような不満はすべての年齢層にわたって広がっていると考えるべきなのである。「近代スポーツ」展示の要件の一つとして、健常者基準を自明とせず、誰もが不自由なく観覧できる展示を目指す必要がある（川島 2016）。このことは、3節で指摘した「提供されている情報の量」の改善のために解説の量を増やす対応をする場合、少なくとも現状より文字を小さくしないという更なる制約条件が課されることを意味する。

第三に、KH coderのもつ定量的分析と定性的分析の間の循環的関係にもとづくデータ利用、より具体的には、ソフトウェアから産出された結果を参考にしながら、元の文章に立ち返った解釈を行うことができるという特性を生かして、ミュージアムの目指すところが来館者に正しく理解されているかどうかを検証することである。実際、中京大学スポーツミュージアムは、本章の冒頭でも述べたように、（中京大学の、あるいは日本の）アスリートの偉業を一面的に賞賛するものではなく、オリンピックの光と影の両面を来館者に伝達することを使命としている。【海外とのつながり】を平和主義やグローバリゼーションとの繋がりで把握することは望ましいことであろうが、排外主義や過剰な日本礼賛を惹起していないかどうかは、今後とも繰り返し確認が必要であろう。

こうしたチェックは、何も大掛かりな調査に依らなくても、出口山積み方式の調査票を1票ずつ確認することによって可能である。この場合は、数よりもそうした反応が存在することの確認に意味があるからである。この節での計量分析には、そうした自由記述の解読のための手掛かりを与えていると考えられる。

［堀 兼大朗］

5.　結びに代えて――来館者による博物館評価の意義

大学博物館に限らず、来館者による博物館評価の研究は少ない。本章は、中京大学スポーツミュージアムの開館という稀有の機会を利用して、アンケート形式の調査による博物館評価の意義と限界について明らかにすることを目指した。

従来、いわゆる出口山積み方式のアンケートの回収率は2％程度にとどまるとされてきた（加藤 2017）のに対し、本研究では、入口における積極的な声掛けや出口における記入場所の確保等により、高い回収率（87％）を得た。

調査結果の分析についても、単純集計やクロス集計の羅列ではなく、どのような属性の来館者が、博物館のどのような側面を評価しているのかが明らかになるように努めた。調査票の冒頭に置かれた7つの評価項目からは、潜在クラス分析によって5つのパターンが抽出され、特に「普通以下」の評価が主に、博物館の展示物でなく展示の仕方に起因して起こること、全般的に高い評価をするのは、低年齢層、学生、スポーツ経験豊富な来館者であること、また、どのような展示が高い評価につながるかが明らかにできた。評価に寄与するものとそうでないもののどこが違うかの判断は、スポーツミュージアムの企画段階から、最終的な展示内容の決定にまでかかわった人々に委ねられる。その一方で、現状のスポーツミュージアムが占める面積の制約のもとでは、解決が難しい問題も示唆された。

さらに、調査票末尾におかれた自由記述欄への記入内容からは、計量テキスト分析のソフトウェア KH coder による共起ネットワークが作成された。ソフトウェアを用いた「客観的」な分析は、ともすれば著者の主張に沿った選択に陥りがちな自由記述の扱いとは一線を画するものである。ここでは、全体の感動（評価）やフィギュアスケートへの言及が学生や若い来館者に多いこと（前者は3節の知見の再確認であるが、極めてモードの異なる質問—応答と自由記述において二重に確認されたことの意義は大きい）とともに、説明の読みにくさという、質問—応答では設定されていなかった事実が明らかになった（3節で扱われた質問は「説明のわかりやすさ」であった）。それに加えて、一種のサプライズであった人気フィギュアスケーターの衣装の展示が、SNS を通じた集客につながることの発見も得られた。

博物館の価値は、何といってもその収蔵品の学術的、文化的価値と、その保存状態にある。特に大学博物館に関する研究において、そうした側面が重視され、来館者と彼らからの博物館評価に対して、従来関心が向きにくかったことは当然であった。来館者による評価は、本章でもその一端が垣間見られたように、アマチュアの視点、あるいはより通俗的な関心にもとづくものであることも多い。しかし、大学博物館の多様な機能、特に大学の個性化（いわゆるブランディング）や学生教育、地域との連携、志願者募集といった観点を考えると、来館者による評価、特に、来館者の属性を考慮した評価の分析は、今後の大学博物館研究の不可欠な部分となると考える。

本章には、さまざまな限界もある。ただ１つの大学博物館の開館直後という特別な機会における１回限りの調査という点で、結果は必ずしも多くの大学博物館に一般化できるものではない。開館が大学祭の期間と重なったことで、多くの学外者の来館があったことは意見の多様性を確保するのには役立ったが、大学博物館の来館者の母集団を適切に代表しているかどうかは疑問である。通常の開館状態を想定すれば、本章の結論の一部は修正の必要があるかもしれない。また、志願者募集の観点からは高校生の来館者が少ないことも問題になる。これを補うために、2020年７月実施のオープンキャンパスでの調査を計画していたが、新型コロナウィルス禍のため実施することができなかったことは残念であった。データ分析に関しても、なお精緻化と深化の余地があろう。そうした限界を補うべく、多くの大学博物館において類似の調査が実施され、その結果が発表されることを期待したい。

［村上 隆・谷岡 謙・堀 兼大朗］

謝辞

本研究のための調査の実施と論文執筆にあたり、多大なご援助をいただいた、中京大学現代社会学部国際文化専攻の教員・学生の皆さん、ならびに、同大学スポーツ振興室のスタッフの方々に、心からお礼申し上げます。

注

1）以下における検定の結果は、p 値で表記する（χ^2 値と自由度は省略する）。p 値は、母集団において帰無仮説（図３で言えば、男女で５つの回答パターンの比率が同じである）が成立しているとしたときに、（データが母集団からのランダムサンプリングによって得られているという前提の下で）データと同等、またはそれ以上に帰無仮説と隔たった結果が得られる確率であり、通常、$p<0.05$、$p<0.01$、$p<0.001$ である場合に対

応して、帰無仮説は5％水準、1％水準、0.1％水準で棄却される（有意）と表現される。p 値を小数点以下何桁まで表記するかについての明確なルールは存在しないが、ここでは、大久保・岡田（2012）の示唆にもとづき3桁までとした。

2）共起ネットワークの分析では、出現数による語の取捨選択の最小出現数を7、描画する共起関係の絞り込みを60に設定した。

3）年齢変数の基準に「学生ダミー」を設定した（ダミー変数とは、質的変数の中の特定のカテゴリを指定する二値変数のこと。たとえば「学生ダミー」は、学生を1、それ以外の回答者は0と定義する）。また、自由記述をした各クラスのケース数は、クラス1が45、クラス2が9、クラス3が64、クラス4が10、クラス5が73となる。分析ではクラス1と2を合併した「低評価」、クラス3を「中評価」、クラス4と5を合併した「高評価」、計3つを使用した。基準（独立変数であるダミー変数が1次従属となって解が一意に定まらなくなることを回避するために分析から削除する変数）は「低評価」にした。

引用文献

淺野敏久・小出美由紀（2014）「大学博物館のイメージに関する調査結果」『広島大学総合博物館研究報告』6, 63–70.

藤原翔・伊藤理史・谷岡謙（2012）「潜在クラス分析を用いた計量社会学的アプローチ――地位の非一貫性，格差意識，権威主義的伝統主義を例に」『年報人間科学』大阪大学大学院人間科学研究科社会学・人間学・人類学研究室 33, 43–68.

樋口耕一（2017）「計量テキスト分析およびKH Coderの利用状況と展望」『社会学評論』68(3), 334–350.

樋口耕一（2020）『社会調査のための計量テキスト分析――内容分析の継承と発展を目指して 第2版』ナカニシヤ出版.

平田穣（2002）「水族館経営とマーケティング・リサーチ」村井良子編『入門ミュージアムの評価と改善』ミュゼ．63–72.

廣瀬毅士（2019）「上海における伝統文化受容のパターン――2017年統計調査データを用いた実証分析」『ジャーナル・オブ・グローバル・メディア・スタディーズ』25, 65–78.

伊藤大介（2007）「テキストマイニング手法を用いて分析した美術館来館者の生活における美術館の存在意義――静岡県立美術館来館者アンケートを事例として」『文化経済学』5(3), 101–110.

伊藤大幸・谷伊織・平島太郎（2018）『心理学・社会科学研究のための構造方程式モデリング―― Mplusによる実践』ナカニシヤ出版.

加藤謙一（2007）「コミュニケーション・ツールとしての記述式アンケート調査の可能性」『日本ミュージアム・マネージメント学会研究紀要』11, 41–48.

川嶋–ベルトラン敦子（2002）「来館者調査を計画・実施する――調査の枠組みと実践上の留意点」村井良子編『入門ミュージアムの評価と改善』ミュゼ．131–148.

川島聡（2016）「差別解消法と雇用促進法における合理的配慮」川島聡・飯野由里子・西倉実季・星加良司編『合理的配慮――対話を開く、対話が拓く』有斐閣. 19–38.

小井土守敏・楢崎修一郎・東條沙織（2019）「大妻女子大学博物館を活用した大学教育」『人間生活文化研究』29, 316–319.

小松洋（2013）「調査票を作ってみよう」大谷信介・木下栄二・後藤範章・小松洋編『新・社会調査へのアプローチ――論理と方法』ミネルヴァ書房. 88–135.

倉田公裕・矢島國雄（1993）「博物館展示評価の基礎的研究」『明治大学人文科学研究所紀要』33, 269–290.

三輪哲（2009）「計量社会学ワンステップアップ講座 (3) 潜在クラスモデル入門」『理論と方法』24(2), 345–356.

永吉希久子（2014）「外国籍者への権利付与意識の規定構造――潜在クラス分析を用いたアプローチ」『理論と方法』29(2), 345–361.

大久保街亜・岡田健介（2012）『伝えるための心理統計』勁草書房.

菅井薫（2009）「美術館活動における『市民の知』のあり方と根拠――調査活動を通じた『関わり』と『価値』の再構築」『日本ミュージアム・マネージメント学会研究紀要』13, 17–25.

田代英俊・中村隆・小山治（2010）「ミュージアムリテラシー育成のための基礎的研究――博物館利用者の属性・意識と博物館活用効果とのクロス表分析の結果」『日本ミュージアム・マネージメント学会研究紀要』14, 77–87.

束田和弘（2003）「名古屋大学博物館来館者アンケートデータベース閲覧システムの構築」『名古屋大学博物館報告』19, 105–119.

上田理恵・上田隆穂（2019）「来館者属性によるミュージアム評価の考察――関東の有名美術館・博物館を対象としたポジショニング分析と好まれる方向性分析に関する調査と分析」『学習院大学経済論集』56, 72–104.

執筆者紹介

岡部真由美（中京大学現代社会学部　准教授、宗教人類学）
亀 井 哲 也（中京大学現代社会学部　教授、博物館学・文化人類学）
斉 藤 尚 文（中京大学現代社会学部　教授、社会人類学）
谷 岡　 謙（中京大学文化科学研究所　特任研究員、社会意識論）
栂　 正 行（中京大学教養教育研究院　教授、英文学）
堀　兼大朗（日本学術振興会　特別研究員(PD)、社会学）
村 上　 隆（中京大学文化科学研究所　特任研究員、計量心理学・社会統計学）

中京大学文化科学叢書22

大学教育と博物館

2021年3月30日　初版発行

編　者　中京大学先端共同研究機構
文化科学研究所博物館研究プロジェクト

発行者　林　鉱治

発行所　株式会社ユニテ
〒464-0850 名古屋市千種区今池1-6-13
電話 (052)731-1380
FAX (052)732-1684
郵便振替 00800-9-1881

印刷・製本　あるむ

＊落丁本・乱丁本はお取り替えいたします。　ISBN978-4-8432-3087-9　C0030